麦《むぎ》ばあの島《しま》

MUGIBAA no SHIMA

3

麦ばあの島

第3巻

古林海月《ふるばやしかいげつ》 著者
鹿児島県《かごしまけん》生《う》まれ。2003年《ねん》「夏《なつ》に降《ふ》る雪《ゆき》」で『イブニング』からデビュー。著作《ちょさく》に『米吐《こめは》き娘《むすめ》』シリーズ、『わたし、公僕《こうぼく》でがんばってました。』(いずれもKindle版《ばん》)などがある。公務員時代《こうむいんじだい》に仕事《しごと》でハンセン病療養所《びょうりょうようじょ》・邑久光明園《おくこうみょうえん》を訪問《ほうもん》。その後《ご》も入所者《にゅうしょしゃ》・退所者《たいしょしゃ》らと交流《こうりゅう》を重《かさ》ねながら本作《ほんさく》の執筆《しっぴつ》をつづけてきた。

登場人物《とうじょうじんぶつ》

上原麦《うえはらむぎ》
大正《たいしょう》12年《ねん》生《う》まれ。美容師《びようし》をめざすが
病気《びょうき》で療養所《りょうようじょ》に。

千代《ちよ》
麦《むぎ》の療友《りょうゆう》。小倉出身《こくらしゅっしん》。幼《おさ》い時《とき》から
療養所《りょうようじょ》で暮《く》らし、結核《けっかく》で死亡《しぼう》。

ヨネ
麦《むぎ》の姉《あね》。母《はは》の失踪後《しっそうご》、母代《ははが》わりに
なって麦《むぎ》と実《みのる》の面倒《めんどう》をみてきた。

カナエ
麦《むぎ》の母《はは》。麦《むぎ》が幼《おさな》い頃《ころ》に失踪《しっそう》。

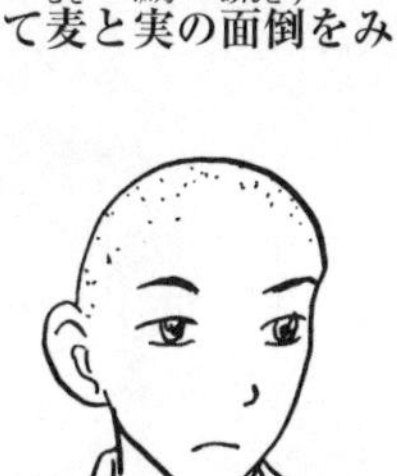

実《みのる》
麦《むぎ》の弟《おとうと》。

麦《むぎ》の祖母《そぼ》。

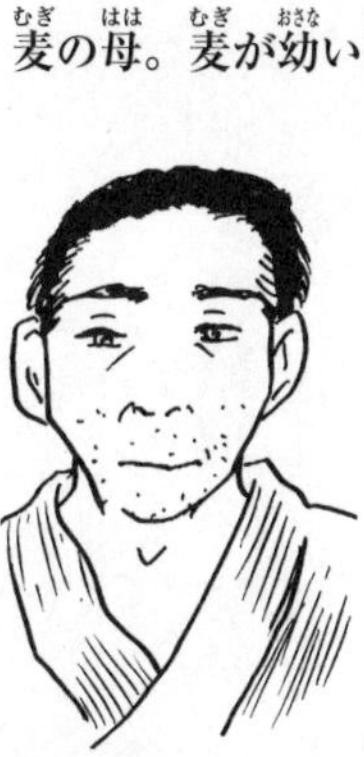

麦《むぎ》の父《ちち》
姫路《ひめじ》の貧《まず》しい農家《のうか》。

池田恵子《いけだけいこ》（本名《ほんみょう》：伊勢田桂子《いせだけいこ》）
麦《むぎ》の療友《りょうゆう》。京都《きょうと》の裕福《ゆうふく》な呉服商《ごふくしょう》の一人娘《ひとりむすめ》。
病気《びょうき》の影響《えいきょう》で目《め》が見《み》えなくなった。

トメ
伊勢田屋《いせだや》の使用人《しようにん》。

桂子《けいこ》の両親《りょうしん》
伊勢田屋《いせだや》を営《いとな》み一人娘《ひとりむすめ》の桂子《けいこ》を溺愛《できあい》。

大石了太《おおいしりょうた》（本名《ほんみょう》：良太《りょうた》）
麦《むぎ》の夫《おっと》。

三井医師《みついいし》

信介《しんすけ》
桂子《けいこ》の婚約者《こんやくしゃ》。

第《だい》15話《わ》
明暗《めいあん》

千代《ちよ》の遺体《いたい》は他《ほか》の患者《かんじゃ》と同《おな》じように
解剖《かいぼう》の後《あと》園内《えんない》で火葬《かそう》された
のう
前《まえ》にどこかで会《あ》ったかね？
いや気《き》のせいか
わたしは九《ここの》つの時《とき》から病院《びょういん》やけ
そない長《なが》いことここにおるん!?

またケガ
しとんけ
気《き》をつけな
あかんっちゃ
美容師《びようし》の手《て》は
商売道具《しょうばいどうぐ》なん
じゃろう!?
千代《ちよ》ちゃん──

ピィーヨ
ピピッ
大《おお》…了太《りょうた》さん千代《ちよ》ちゃんのお葬式《そうしき》済《す》んだで
具合《ぐあい》は？
……痛《いた》い
牛《うし》か豚《ぶた》になった気分《きぶん》
大丈夫《だいじょうぶ》結婚《けっこん》した人《ひと》らは皆《みな》手術《しゅじゅつ》してはる
死《し》にはせん

了太《りょうた》さんはそないして我慢《がまん》して我慢《がまん》してここで生《い》きてきたんやね
けど私《わたし》どうしても
ここに慣《な》れることができひん
こんなんイヤや
は…
阿呆《あほう》

泣《な》きたいんは こっちや
ハハ…
うっ…
大石さん!
チュン
チチッ
恵子《けいこ》さん 今朝《けさ》は 湯《ゆ》わかし 当番《とうばん》やろ
目《め》が 痛《いと》うて……
またなん
しゃあないな

あ
麦《むぎ》さん
恵子《けいこ》さん
呼《よ》んできてか
何《なに》かあったんですか?
恵子《けいこ》さん 今《いま》ふせってて――
具合悪《ぐあいわる》いんも
ふっとぶわ
面会《めんかい》やで
ザー…
お嬢様《いとはん》
目《め》が

トメ
何《なん》で
お前《まえ》が
ここに？
何《なん》で
お父《とお》はんと
お母《かあ》はんは
来《こ》ぉへんの？
旦那様《だんさん》と
奥様《ごりょんさん》は――
亡《な》くなら
はりました
すいません
キャー
アハハ…
何《なん》ですぐ
知《し》らせんかったん
そういう
ご遺言《ゆいごん》でした
さかい

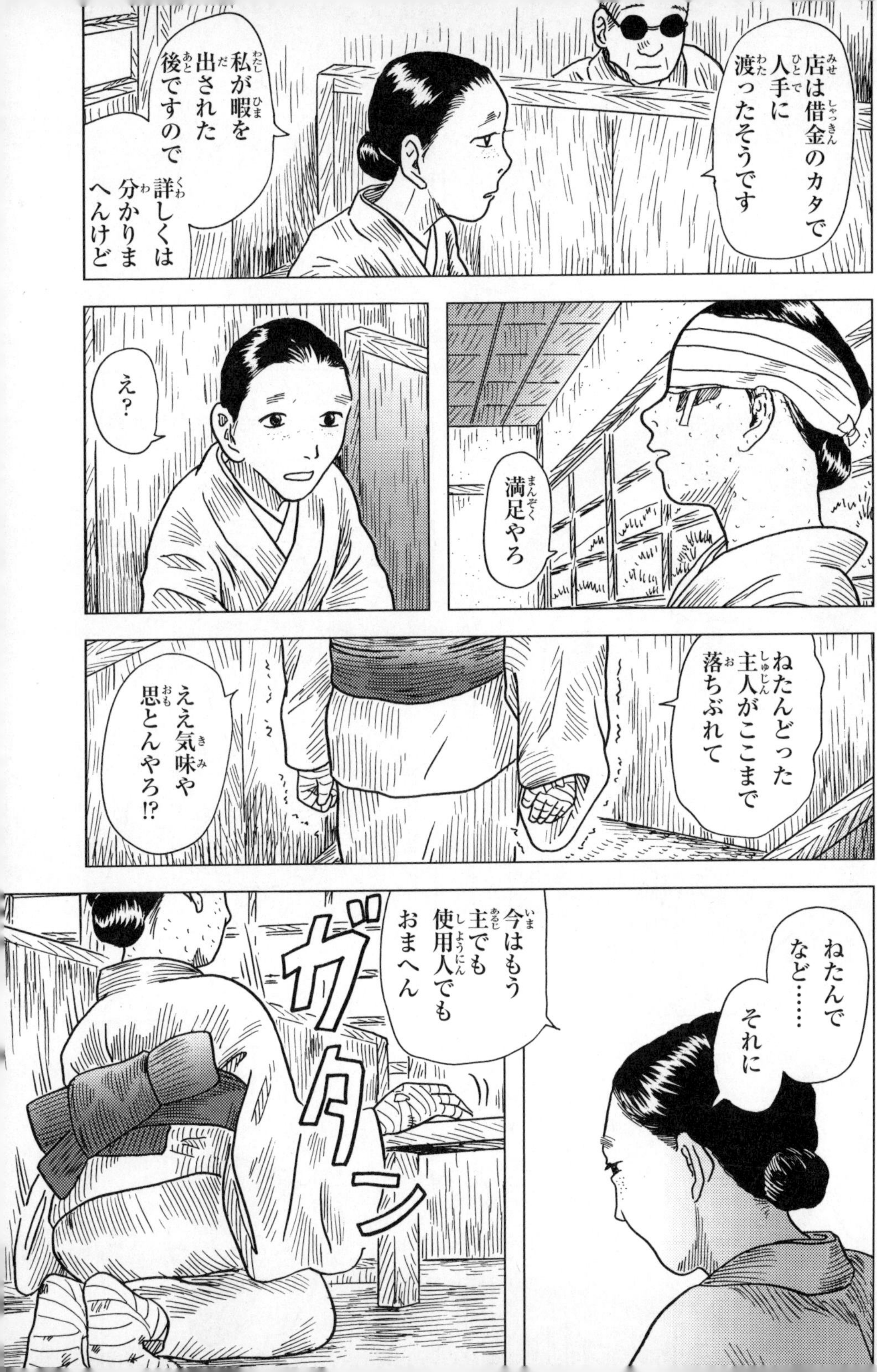
店《みせ》は借金《しゃっきん》のカタで人手《ひとで》に渡《わた》ったそうです
私《わたし》が暇《ひま》を出《だ》された後《あと》ですので詳《くわ》しくは分《わ》かりまへんけど
満足《まんぞく》やろ
え？
ねたんどった主人《しゅじん》がここまで落《お》ちぶれて
ええ気味《きみ》や思《おも》とんやろ!?
ねたんでなど……
それに
今《いま》はもう主《あるじ》でも使用人《しようにん》でもおまへん
ガターン

カタカタ
カタ
……ほな何《なに》しに来《き》たん
アカの他人《たにん》が
もう帰《かえ》って
二度《にど》と来《こ》んとって
いとはん
カタン
恵子《けいこ》さん
そろそろ船《ふね》の時間《じかん》やで

キャハハ…
カタ
カタ
カタタ…
待《ま》ってー
あははは
いとはん
待《ま》って下《くだ》さい
トメちゃん
早《はよ》う来《き》て
野菊《のぎく》がようさん
咲《さ》いとうで

いややもう！一生《いっしょう》でけへん
あはは…
いとはんはうまくいかへんとすぐ泣《な》かはる
この世《よ》のしまいはそうそう来《き》いしまへんで
小《ちい》さい頃《ころ》は楽《たの》しおましたねえ
いとはん
くれぐれも早《はや》まったことは――
余計《よけい》なお世話《せわ》や

コレヨリ無菌地帯
患者立チ入ルベカラズ
どうかお元気《げんき》で
……さいなら
昭和十九年《しょうわじゅうくねん》
また目《め》が痛《いた》むのん？
恵子《けいこ》さん

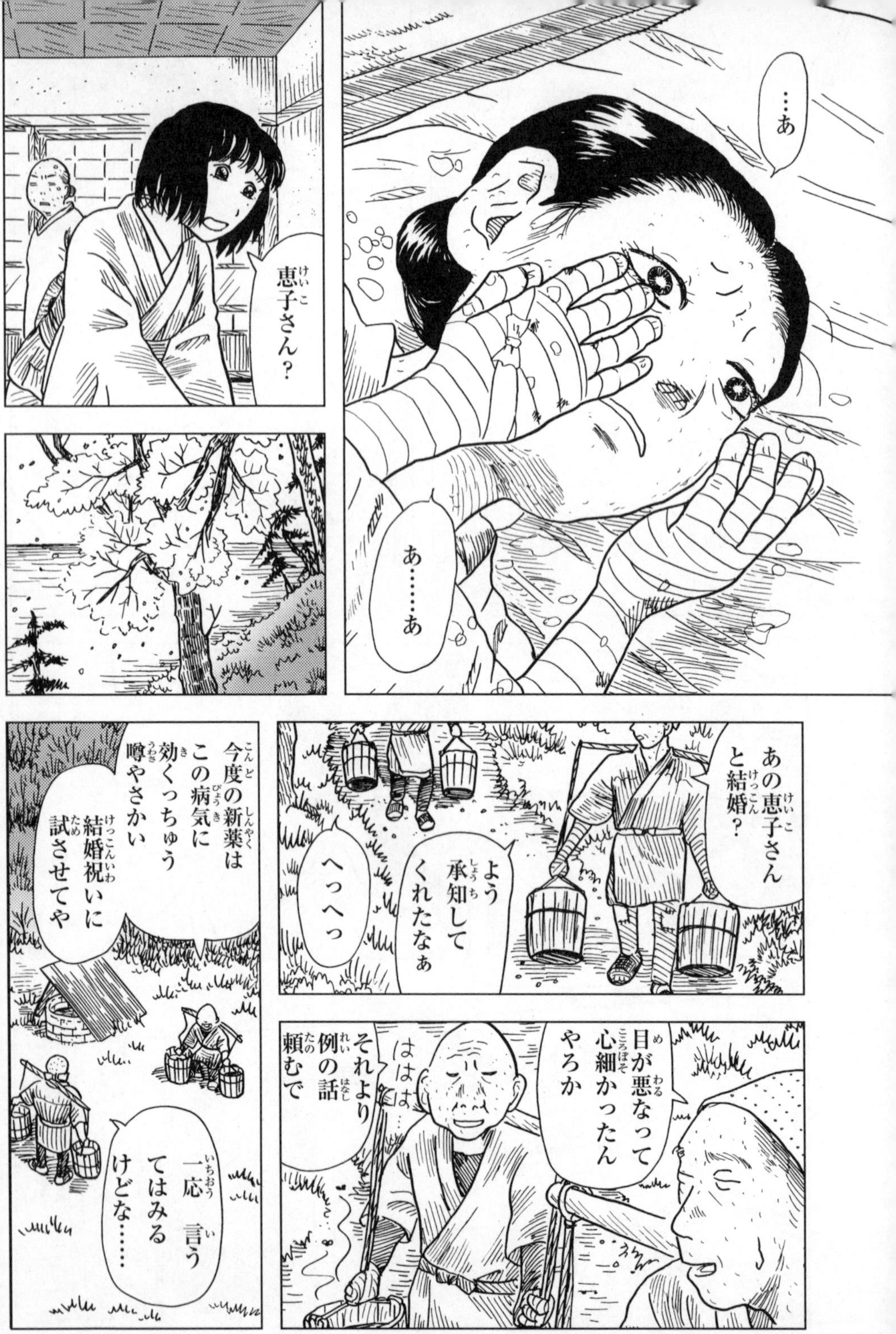
…あ
あ……あ
恵子《けいこ》さん？
あの恵子《けいこ》さんと結婚《けっこん》？
よう承知《しょうち》してくれたなぁ
へっへっ
目《め》が悪《わる》なって心細《こころぼそ》かったんやろか
ははは……
それより例《れい》の話《はなし》頼《たの》むで
今度《こんど》の新薬《しんやく》はこの病気《びょうき》に効《き》くっちゅう噂《うわさ》やさかい結婚祝《けっこんいわ》いに試《ため》させてや
一応《いちおう》言《い》うてはみるけどな……

このころ大風子油《たいふうしゆ》に代《か》わる新薬《しんやく》がいくつか試《ため》された
どや恵子《けいこ》
新薬第一号《しんやくだいいちごう》やで！
ちっ
可愛《かわい》げのない女《おんな》や
ピピッ
ピピッ
麦《むぎ》と恵子《けいこ》が入所《にゅうしょ》して五年《ごねん》
恵子《けいこ》は失明《しつめい》し不自由舎《ふじゆうしゃ》に移《うつ》った
うっ
ケホッ
カハッ
ごめんね
カタン
ううん
大丈夫《だいじょうぶ》？
麦《むぎ》さん　また吐《は》いとったん

旦那《だんな》の筋切《すじき》りの手術《しゅじゅつ》失敗《しっぱい》しとんちゃう？
そうじゃなければ不義《ふぎ》の子《こ》――
やめて下《くだ》さい！
そんなこと――
召集《しょうしゅう》ラッパ！
退避《たいひ》――!!
退避《たいひ》――！

急《いそ》げ
麦《むぎ》！
あと一人《ひとり》入《い》れてや
神戸《こうべ》や明石《あかし》が焼《や》かれるとはな
次《つぎ》はどこやろ
そら爆弾《ばくだん》や飛行機《ひこうき》を造《つく》っとうとこやろ
軍事基地《ぐんじきち》は狙《ねら》い撃《う》ちされようらしいで
了太《りょうた》さん……お姉《ねえ》ちゃんが働《はたら》きようとこ
飛行機工場《ひこうきこうじょう》じゃなかった？

ザザー
妊娠《にんしん》？
どないするつもりやろ
動《うご》いとう…
お腹《なか》の子《こ》にコウちゃんと名前《なまえ》をつけた

ザクッ
ザク…
はー…
あ
つゆ草《くさ》
どや
ええ柄《がら》やろ
私《わたし》がつゆ草《くさ》
あんたが金魚《きんぎょ》
お姉《ねえ》ちゃんがおるやんか
いざとなったら逃《に》げておいで
お姉《ねえ》ちゃんがきっと助《たす》けちゃる
お姉《ねえ》ちゃん
もう一度《いちど》だけ甘《あま》えさせてな
チャプン
了太《りょうた》さん泳《およ》げる？

何《なん》や突然《とつぜん》
浜伝《はまづた》いに歩《ある》けば泳《およ》いで向《む》こう岸《ぎし》に渡《わた》れるんでしょ？
……麦《むぎ》
まさか
ムリムリ
何《なん》で!?
お前《まえ》も見《み》たやろ ここで溺《おぼ》れた土左衛門《どざえもん》を
運良《うんよ》く渡《わた》れたとしても
斑紋《はんもん》や結節《けっせつ》やマヒして曲《ま》がった手足《てあし》を隠《かく》したまま どないして暮《く》らすねん
どないしてでもや
この子《こ》の命《いのち》がかかっとるんやさかい

こ…
子供《こども》!?
そんなはず――
手術《しゅじゅつ》が失敗《しっぱい》することもあるんやて!
浮気《うわき》なんかしてへんし
……信《しん》じてもらうしかないけど
バシャ
うまく逃《に》げた人《ひと》を何人《なんにん》か知《し》っとう
外《そと》で子供《こども》を産《う》んだ人《ひと》も

けどその人達《ひとたち》は皆《みな》 何年《なんねん》かして戻《もど》ってきた
隠《かく》しきれん位《くらい》病《やまい》が重《おも》うなって
子供《こども》は親戚《しんせき》に預《あず》けてな
親《おや》のおらん淋《さび》しさいうんはお前《まえ》もよう知《し》っとうやろ
お姉《ねえ》ちゃんがきっと育《そだ》ててくれる
私達《わたしたち》の分《ぶん》までかわいがってくれる
淋《さび》しいても生《う》まれずに死《し》ぬより生《う》まれる方《ほう》がええに決《き》まっとうやろ?

俺達《おれたち》が人《ひと》の親《おや》になるなんて……
ままごとの夫婦《ふうふ》やない
本当《ほんま》の家族《かぞく》になれるんやで
名前《なまえ》は光《ひかり》と書《か》いてコウってつけたいの
男《おとこ》なら光太《こうた》女《おんな》なら光《コウ》
光明園《こうみょうえん》の光《こう》か？
ううん 光《ひかり》
コウちゃんは私達《わたしたち》の希望《きぼう》の光《ひかり》よ

なあ コウちゃん
……
やるなら 次《つぎ》の大潮《おおしお》や
満月《まんげつ》が 出《で》るころ
いつもの場所《ばしょ》で 落《お》ち合《あ》おう
周《まわ》りにばれん ようにせんと
でも恵子《けいこ》さんは *籍元《せきもと》どうしだし 言《い》わないと
同《おな》じ日《ひ》に ここに来《き》た 仲間《なかま》やもん きっと 祝福《しゅくふく》してくれるわ

＊身寄《みよ》りのない入所者《にゅうしょしゃ》の身元引受人《みもとひきうけにん》になる園《えん》の制度《せいど》。

第《だい》16話《わ》
コウちゃん

恵子《けいこ》さん新薬《しんやく》が体《からだ》に合《あ》わへんかったんやて？
目《め》はまだ痛《いた》むの？
うちの人《ひと》も心配《しんぱい》してたで
あの人《ひと》口《くち》は悪《わる》いけど根《ね》は優《やさ》しいさかい
旦那《だんな》さんはどんな人《ひと》？
恵子《けいこ》さんに好《す》きな人《ひと》がいてはるなんて知《し》らんかったわ

*捨《す》てておいての意《い》。

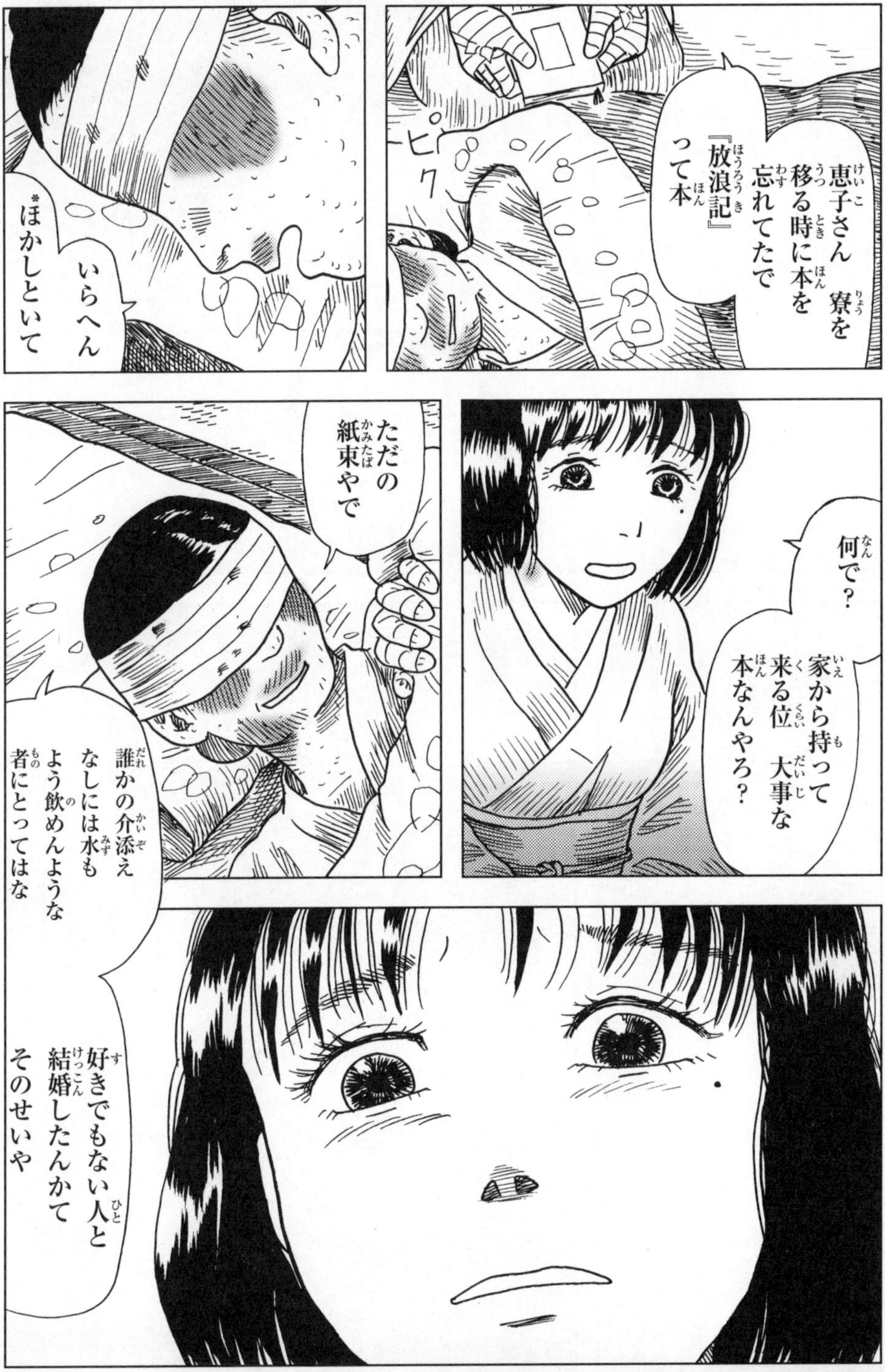

恵子《けいこ》さん 寮《りょう》を移《うつ》る時《とき》に本《ほん》を忘《わす》れてたで『放浪記《ほうろうき》』って本《ほん》
ピク
いらへん *ほかしといて
何《なん》で？
家《いえ》から持《も》って来《く》る位《くらい》 大事《だいじ》な本《ほん》なんやろ？
ただの紙束《かみたば》やで
誰《だれ》かの介添《かいぞ》えなしには水《みず》も飲《の》めんような者《もの》にとってはな
好《す》きでもない人《ひと》と結婚《けっこん》したんかてそのせいや

恵子《けいこ》さん
もう会《あ》えへんかもしれへんけど　元気《げんき》でな
え？
子供《こども》ができたの
了太《りょうた》さんと今夜《こんや》島《しま》を出《で》るんよ
皆《みんな》には内緒《ないしょ》やで

ザザザ……
ザワ
ザヴ
ザザ…
カタ
カタタ…
ぶるっ
もう一枚《いちまい》着《き》てくればよかった
泳《およ》いだらぬれるから一緒《いっしょ》やろか
ふふ…
大丈夫《だいじょうぶ》やでコウちゃん
お母《かあ》さんこれでも川《かわ》で泳《およ》ぐんは得意《とくい》なんよ
ザク
ザク
あ
お父《とう》さん来《き》たでコウちゃん

やあ 上原《うえはら》さん
いい月《つき》だね
三井《みつい》先生《せんせい》
了《りょう》さ…大石君《おおいしくん》は一緒《いっしょ》じゃないのかな？
ザク
ザク…
彼《かれ》が結婚《けっこん》するとはね
ああ見《み》えて女性《じょせい》に優《やさ》しいからもてるんだ
失恋《しつれん》した患者《かんじゃ》も多《おお》いかも
そんな……
ああ 失敬《しっけい》
大石君《おおいしくん》とはあなたより古《ふる》いつきあいでね
つい口《くち》がすべっちゃった
ははは…
彼《かれ》は結婚《けっこん》して前向《まえむ》きになった
あなたのお陰《かげ》です

園内《えんない》で結婚《けっこん》すると
どちらかが治《なお》っても離婚《りこん》しないかぎりここを出《で》られない
そしてもうひとつ
園内《えんない》ではできないことがある
大石君《おおいしくん》の精管結紮《ワゼクトミー》手術《しゅじゅつ》は私《わたし》が責任《せきにん》をもってやり直《なお》します
あなたも子供《こども》はあきらめて手術《しゅじゅつ》を受《う》けて下《くだ》さい
いやです
だからここを出《で》て行《い》きますとめないで下《くだ》さい

この子《こ》を産《う》むためなら
死《し》んでも構《かま》わしません
たしかに療養所《りょうようじょ》では子供《こども》を産《う》んでも
子供《こども》を預《あず》ける施設《しせつ》や予算《よさん》 里親《さとおや》のあてもない
しかし島《しま》の外《そと》では治療《ちりょう》を受《う》けられるとは限《かぎ》らない
病《やまい》が悪化《あっか》し外《そと》で暮《く》らせなくなったら 子供《こども》はどうなります
親《おや》に捨《す》てられたことを恨《うら》み
親《おや》の病気《びょうき》を一生《いっしょう》背負《せお》って

わが子《こ》を不幸《ふこう》にする覚悟《かくご》がありますか？

＊日本銀行券《にほんぎんこうけん》の現金《げんきん》のこと。逃走防止《とうそうぼうし》のため園内通貨《えんないつうか》しか持《も》てず、現金《げんきん》は非合法《ひごうほう》に借《か》りるしかなかった。

恵子《けいこ》さんが
つげ口《ぐち》
したんや
早《はよ》う
逃《に》げな
つかまって
手術《しゅじゅつ》される
カン
カン
カン
退避《たいひ》ーー
退避《たいひ》ーーー!!
はっ
はあ
はあ
恵子《けいこ》さん
逆方向《ぎゃくほうこう》に
カーン
カーン
カーン
カーン
カーン

こっち
はぁっ
はぁっ
グヴォオオオ…
灰《はい》か
岡山《おかやま》の街《まち》から飛《と》んで来《き》よんやで
姫路《ひめじ》は
実《みのる》ちゃんやお姉《ねえ》ちゃんは大丈夫《だいじょうぶ》やろか

中部軍管区《ちゅうぶぐんかんく》発令《はつれい》
敵機《てっき》は四国《しこく》沖《おき》より姫路城《ひめじじょう》に向《む》かって北進中《ほくしんちゅう》
姫路市周辺《ひめじししゅうへん》は厳重《げんじゅう》なる警戒《けいかい》を要《よう》す
中部軍管区《ちゅうぶぐんかんく》発令《はつれい》——
ウウウウウウ、、
退避《たいひ》——!
退避《たいひ》——!!
カンカン
カンカンカンカン
ゴォオォーオ
ヒュウウゥ
ヒュウウウ…
神戸銀行
キャアァ
水用火防

ガシャーン
うわあああ
タ タタ
はっ はっ はっ
タ タ
ヒュウウウ
昭和二十年《しょうわにじゅうねん》
六月《ろくがつ》と七月《しちがつ》
姫路《ひめじ》は二度《にど》の
空襲《くうしゅう》を受《う》けた

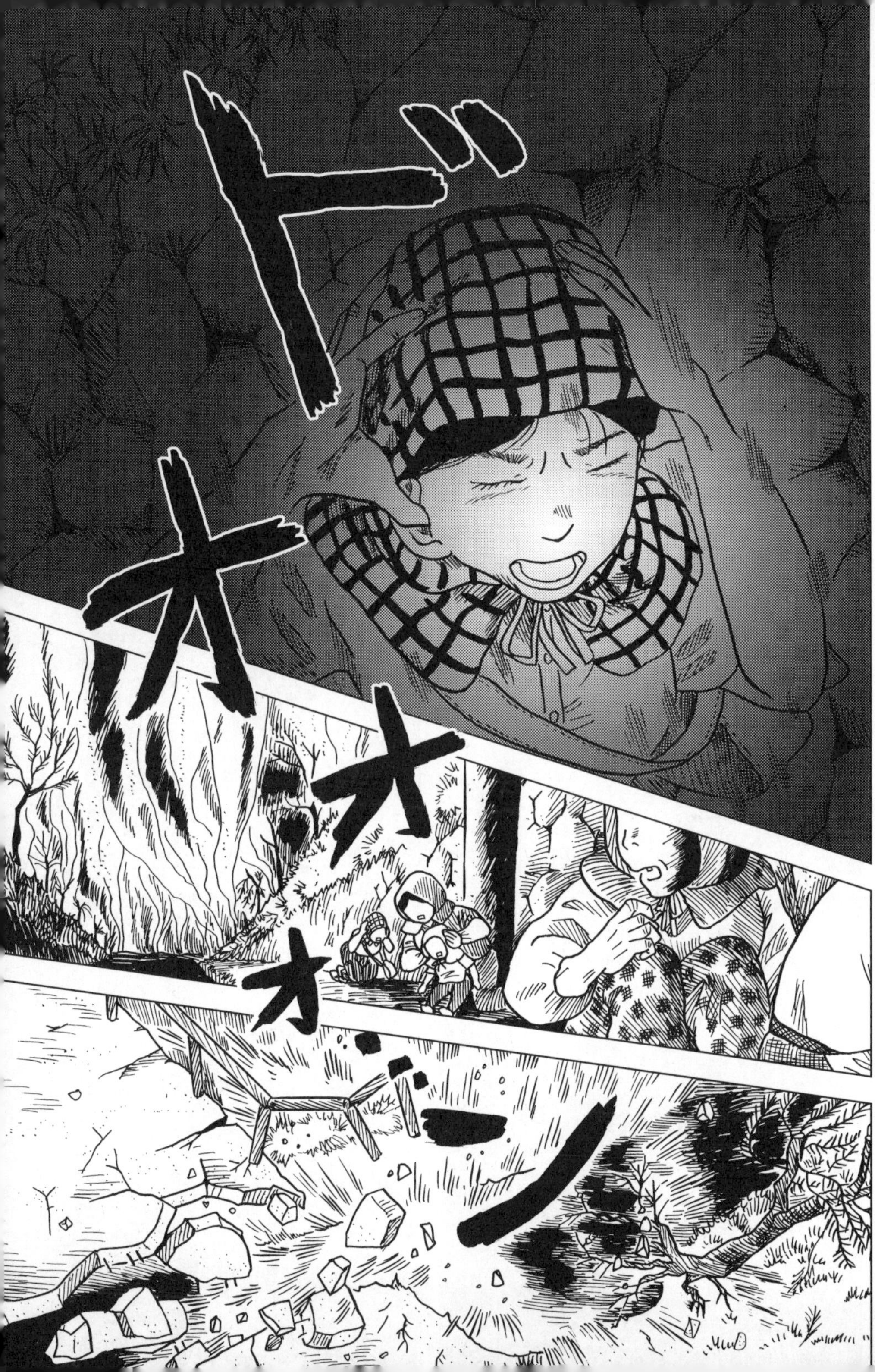
ドォオオーン

シュウウ…
んーー
んーー！
おかあさん
どこ？
ズシャッ
おかあさん
おかあさーん
ピク

おかあさん
おかあさーん
チャプン
……麦《むぎ》？
麦《むぎ》
べっちょない
お姉《ねえ》ちゃんが
おるやんか
べっちょ
……ない
うああぁー……

ザザ……
ジーワ
ジワ
ジー…
麦《むぎ》……
お姉《ねえ》さんが

あんたは
しつこいのだけが
取《と》り柄《え》やろ
麦《むぎ》
あきらめたら
あかんで!
コレヨリ無菌地帯
患者立チ入ルベカラズ
麦《むぎ》の
バカ!
お母《かあ》さんは
もう戻《もど》って
来《こ》おへんのや!

うぇあぁー…
べっちょない べっちょない
お姉《ねえ》ちゃんがおるやんか
熱《ねつ》ばっかり出《で》てしゃあないな
ホラ あーんして
*月《つき》の物《もの》は病気《びょうき》とちゃう
お姉《ねえ》ちゃんが手当《てあて》の仕方《しかた》教《おし》えたげるわ
ヘタの長糸《ながいと》もつれが早《はや》い
女親《おんなおや》がおらんとあかんて言《い》われんようしっかりしいや！
お姉《ねえ》ちゃんが優《やさ》しくなったのは
お母《かあ》さんがいなくなってからだ

*月経《げっけい》のこと。

カアー
カアー…
ザッ
すまないけど後《あと》の処置《しょち》を頼《たの》めるかな？
承知《しょうち》しました
キュッ
ガタン。。
三井先生《みついせんせい》
手術《しゅじゅつ》は無事《ぶじ》済《す》んだよ

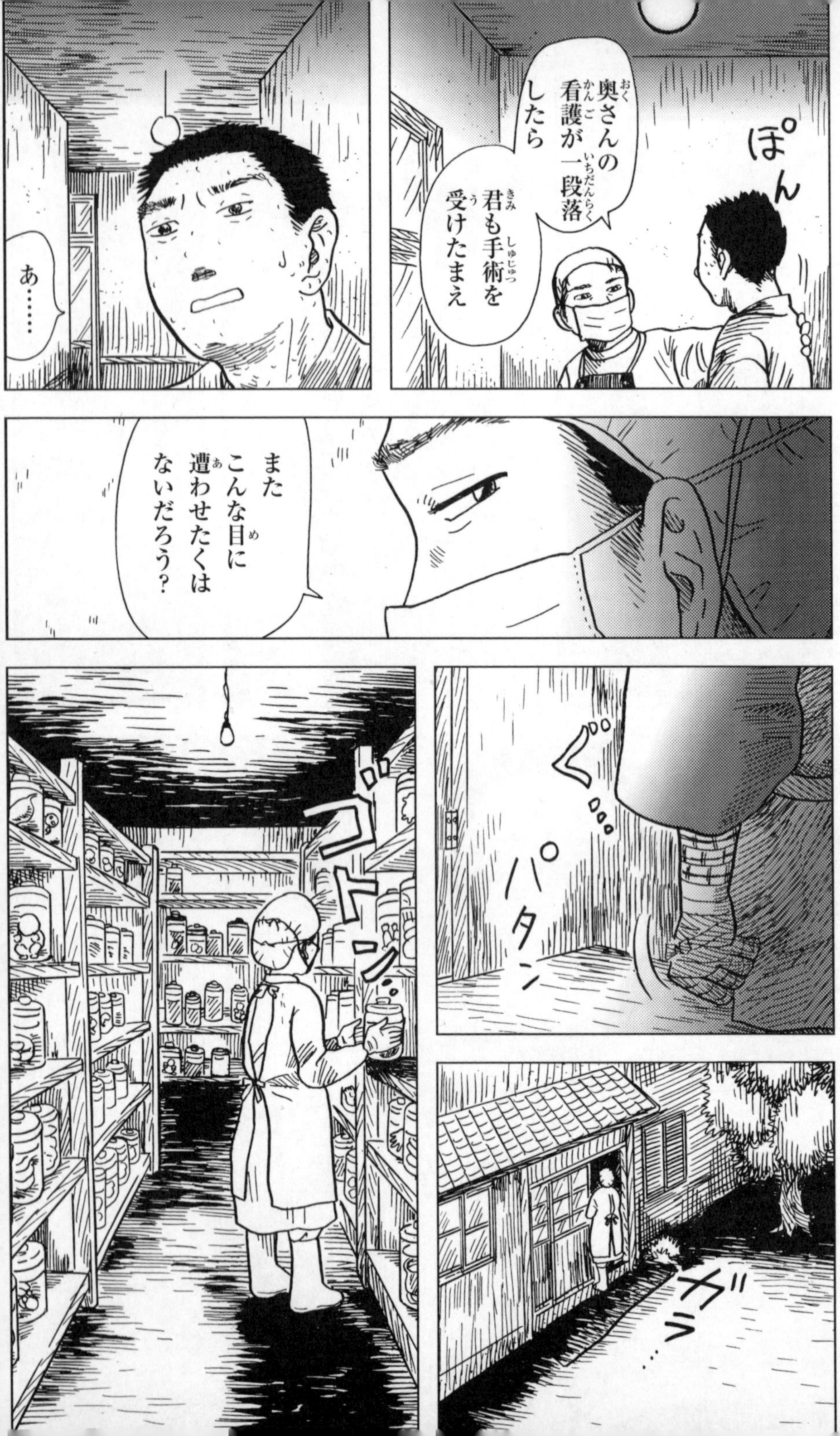
ぽん
奥《おく》さんの看護《かんご》が一段落《いちだんらく》したら
君《きみ》も手術《しゅじゅつ》を受《う》けたまえ
あ……
また こんな目《め》に遭《あ》わせたくはないだろう？
ぐ…
パタン
ガラ…
ゴトン…

麦《むぎ》
痛《いた》かったやろな

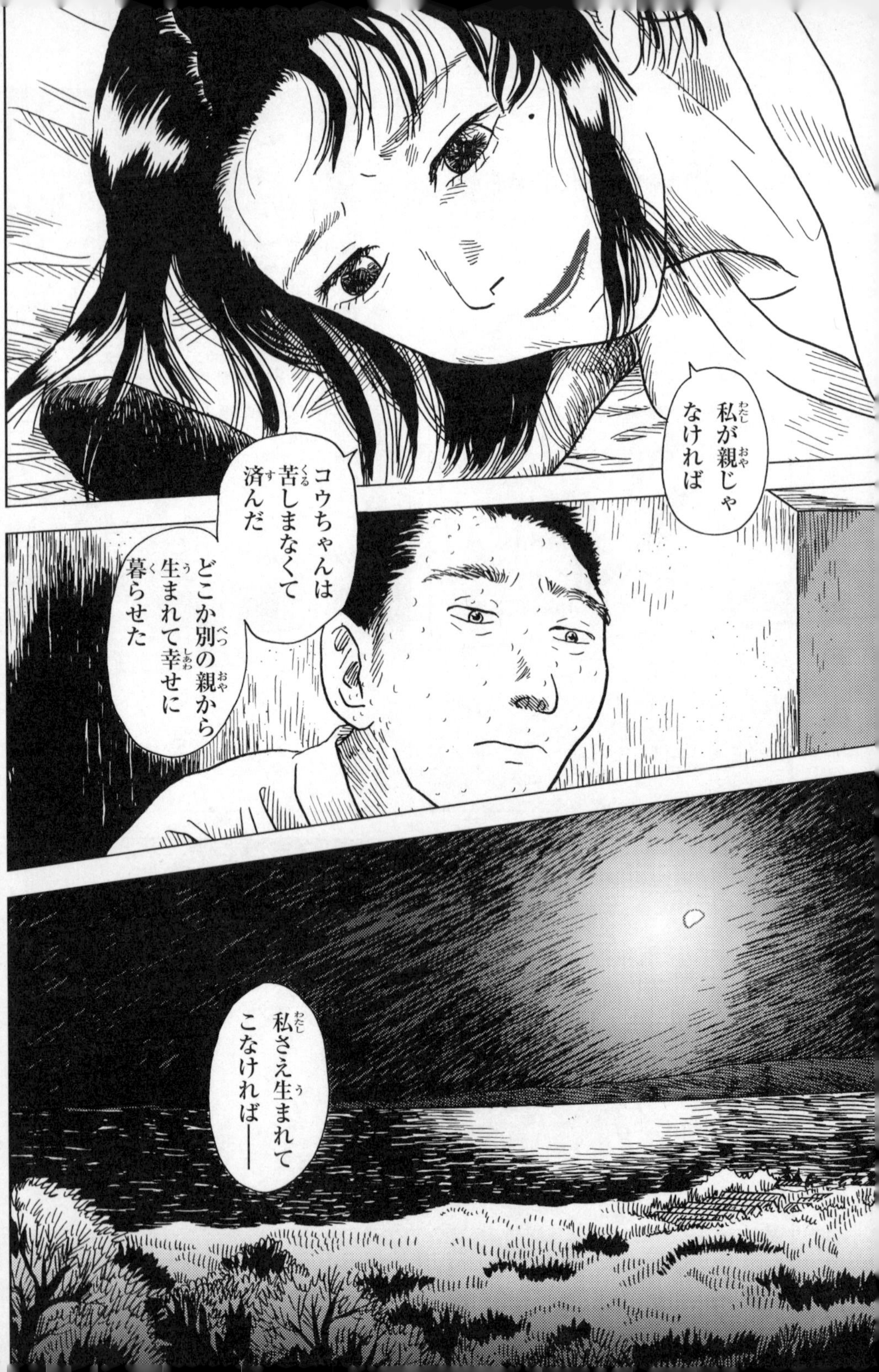
私《わたし》が親《おや》じゃなければ
コウちゃんは苦《くる》しまなくて済《す》んだ
どこか別《べつ》の親《おや》から生《う》まれて幸《しあわ》せに暮《く》らせた
私《わたし》さえ生《う》まれてこなければ——

ザッ
ザザッ
麦《むぎ》はんを見舞《みま》いに？
どこぞ具合《ぐあい》でも？
いや…ちょっとな
恵子《けいこ》さんうちのと仲良《なかよ》かったやろ
女同士《おんなどうし》なら話《はなし》もしやすいかも知《し》れへんし

しゃべりも せん 物《もの》も 食《く》わへん
このまま やと……
くす…
ええ気味《きみ》
え？
何《なん》でも おへん 連《つ》れてって くれはり ます？
何《なん》や 見舞《みま》いなら わてが一緒《いっしょ》 にー
あかんえ 男《おとこ》の人《ひと》が一緒《いっしょ》 やと麦《むぎ》はんが 気《き》ぃ遣《つこ》はるわ
了《りょう》はんに 案内《あんない》して もらいます
…さよか ほな 気《き》ぃつけて

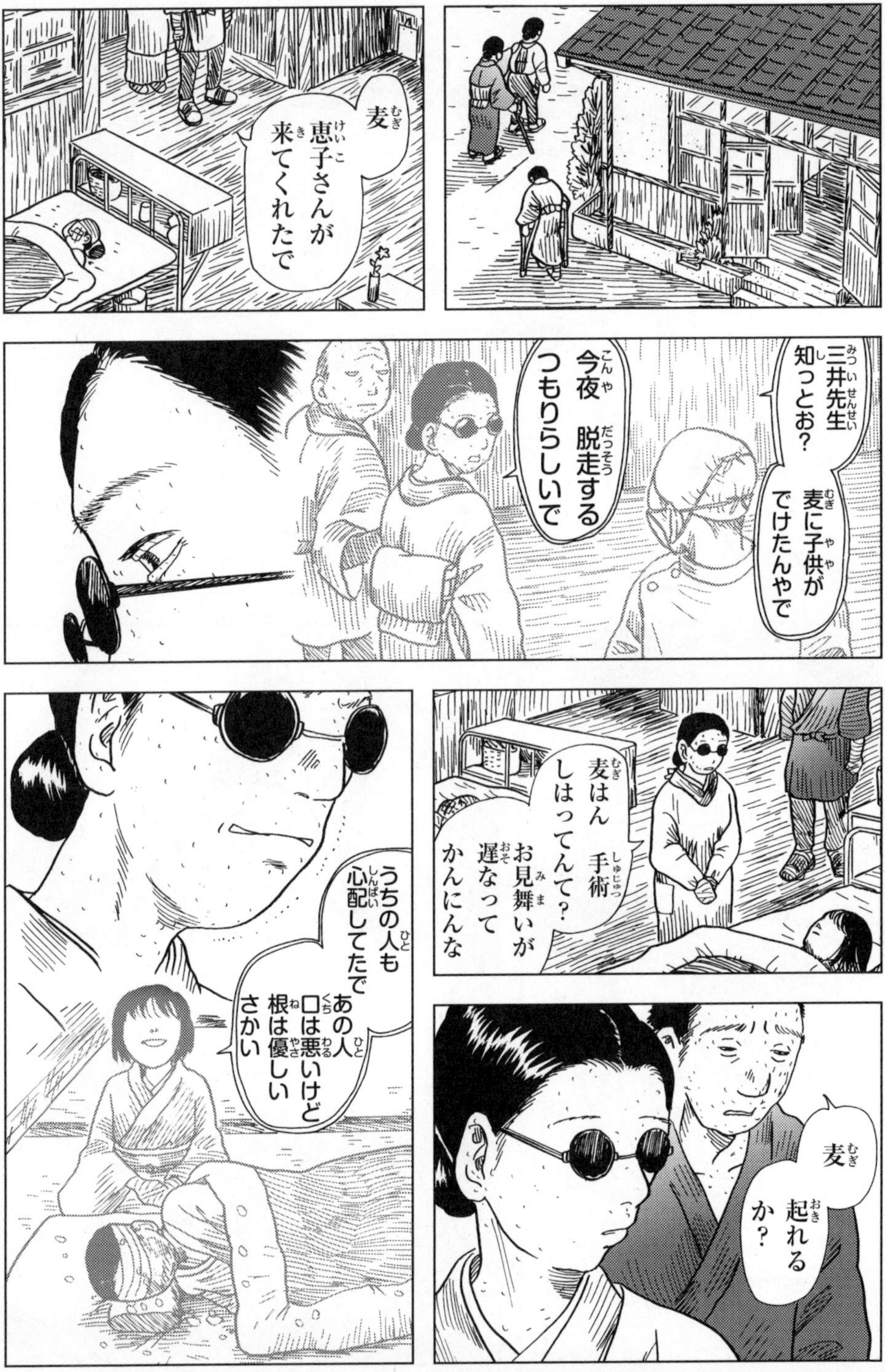
麦《むぎ》 恵子《けいこ》さんが来《き》てくれたで
三井先生《みついせんせい》知《し》っとお？ 麦《むぎ》に子供《やや》がでけたんやで
今夜《こんや》 脱走《だっそう》するつもりらしいで
麦《むぎ》はん 手術《しゅじゅつ》しはってんて？ お見舞《みま》いが遅《おそ》なってかんにんな
うちの人《ひと》も心配《しんぱい》してたで
あの人《ひと》口《くち》は悪《わる》いけど根《ね》は優《やさ》しいさかい
麦《むぎ》 起《おき》れるか？

かわいそうに
私《わたし》にでも
できることが
もしあれば
何《なん》でも言《い》うてな
ころして……

最初《さいしょ》は発病《はつびょう》した時《とき》
二度目《にどめ》は療養所《りょうようじょ》に入《はい》った時《とき》
三度目《さんどめ》は失明《しつめい》した時《とき》
私《わたし》は三度《さんど》死《し》にました

第17話《だいわ》
伊勢田屋小町《いせだやこまち》

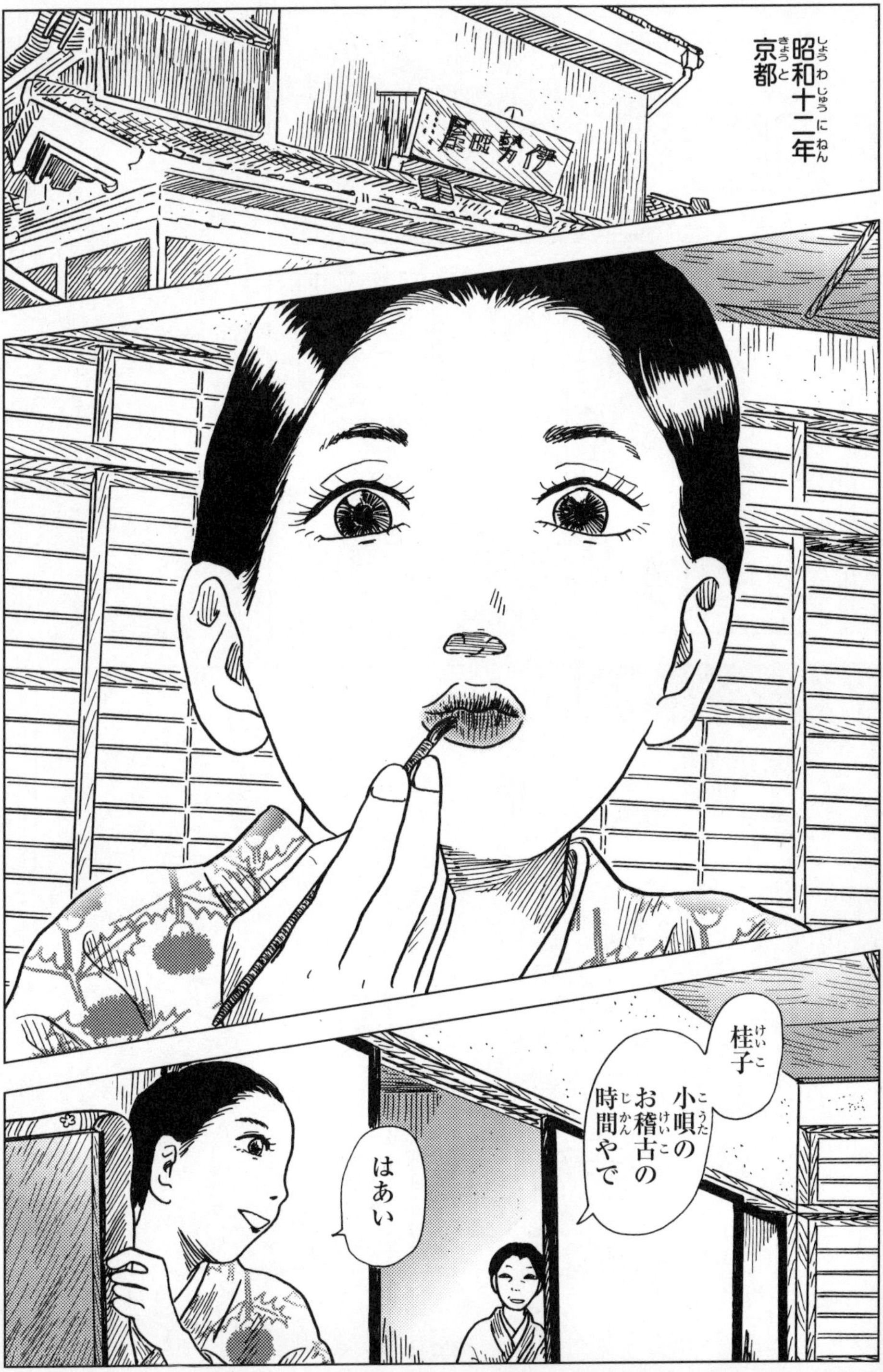
昭和《しょうわ》十二年《じゅうにねん》
京都《きょうと》
桂子《けいこ》
小唄《こうた》のお稽古《けいこ》の時間《じかん》やで
はあい

うーん…
投了《とうりょう》かな？ 伊勢田屋《いせだや》はん
ま… まだまだ！
せや 池《いけ》の コイにエサ やるの忘《わす》れ とったわ
ホッホ… さっきも あげてはり ましたやん 待《ま》ったは もう使《つか》え ませんえ
ご隠居《いんきょ》はん おこしやす
桂子《けいこ》 これ どない思《おも》う？
おお 桂子《けいこ》はん
今日《きょう》も べっぴん やな
パチ…

あっ
おお!
将棋《しょうぎ》は桂子《けいこ》に抜《ぬ》かされよるわ
伊勢田屋《いせだや》小町《こまち》にはかなわんなあ
ご隠居《いんきょ》はんもアナタも調子《ちょうし》に乗《の》せんといて下《くだ》さいよ
ほなお稽古《けいこ》に行《い》ってまいります
ご隠居《いんきょ》はんごゆるりと
後継《あとつ》ぎ娘《むすめ》に婿養子《むこようし》いうんもええかもしれまへんな
ホホホ
ほんまに桂子《けいこ》は気《き》が強《つよ》いさかい嫁姑《よめしゅうとめ》で苦労《くろう》するよりええですわ
おまけにワシも婿養子《むこようし》ですわ
ハハハ
パタ
パタ
んもー
誰《だれ》が気《き》が強《つよ》いて?
ツ
テン
シャン

テテン
ジャン
ビィイィン…
パン!
そこ!もっと音《おと》に艶《つや》を出《だ》さな
着物《きもの》に負《ま》けてしまいますえ
すみません 父《ちち》が誂《あつら》える着物《きもの》はいつもはでで……
あーあ いっつも厳《きび》しくてイヤんなるわ
桂子《けいこ》はんは見所《みどころ》あると思《おも》てはるんよ
みさ子《こ》はんの言《い》う通《とお》りや踊《おど》りや琴《こと》を習《なら》う時《とき》も私《わたし》らほったらかしやで
あはは…
伊勢田屋
トメ おトメ!

へえ
奥様《ごりょんさん》
玄関《げんかん》に花《はな》を生《い》ける
さかい信楽《しがらき》のつぼ
出《だ》しといてな
へえ
「へえ」やのうて
「かしこまりました」
やろ？
か かしこ
まりました

どお？トメ
私《わたし》の嫁《よめ》入《い》り衣装《いしょう》
菊《きく》の花《はな》が*ようさん
きれいですねえ
お嬢《いとはん》さんはお小《ちい》さい頃《ころ》から
野菊《のぎく》の花《はな》がお好《す》きでしたね

*たくさんの意《い》。

離《はな》しなはれ桂子《けいこ》!
その小紋《こもん》は舞妓《まいこ》はんが着《き》はるんや
これっ桂子《けいこ》
わぷっ
こんな子供《こども》っぽい柄《がら》イヤや!!
いとはん
あかん
私《わたし》の着物《きもの》これで仕立《した》ててって頼《たの》んだのに
しゃあないなあ いっちょ前《まえ》にお洒落《しゃれ》に目覚《めざ》めよって
けどあの子《こ》なかなか見《み》る目《め》がおますなあ
フッ
親バカ夫婦…
トメや これをあの子《こ》に着《き》せたって
へえ ごりょんさん

いとはん
服《ふく》を着《き》て下《くだ》さい
また風邪《かぜ》をひかれますよ
トメちゃん
何《なん》でこの頃《ごろ》一緒《いっしょ》に遊《あそ》んでくれへんの?
トメは働《はたら》くのが仕事《しごと》
いとはんは習《なら》い事《ごと》が仕事《しごと》
ええー
使用人《しようにん》は呼《よ》び捨《す》てでええんですよ
いとはんは将来《しょうらい》京都《みやこ》一《いち》の美人《びじん》さんになります
どんな着物《きもの》かて着物《きもの》の方《ほう》から寄《よ》ってくるわ

そやさかい 今《いま》はこれで 辛抱《しんぼう》して 下《くだ》さい
野菊《のぎく》 お好《す》きでしょ
何《なん》や 私《わたし》が わがままばっかり 言《い》いようみたいに
使用人《しようにん》のトメに 頼《たの》まれたからと 違《ちが》うで
友達《ともだち》のトメちゃんの 言《い》うことやさかい きくんやで

ねえ トメ…私《わたし》に子供《こども》ができたら
また子守《こも》りしてくれる？
はい 喜《よろこ》んで
コン！
信介《しんすけ》さんにも商売《しょうばい》のこと覚《おぼ》えてもらわなあきまへんな 学士様《がくしさま》でもお店《たな》を任《まか》せるにはちょっと頼《たよ》りない気《き》が
大丈夫《だいじょうぶ》や
店《みせ》を実質《じっしつ》切《き》り盛《も》りするのは桂子《けいこ》や あの子《こ》に任《まか》しとけば心配《しんぱい》あれへん

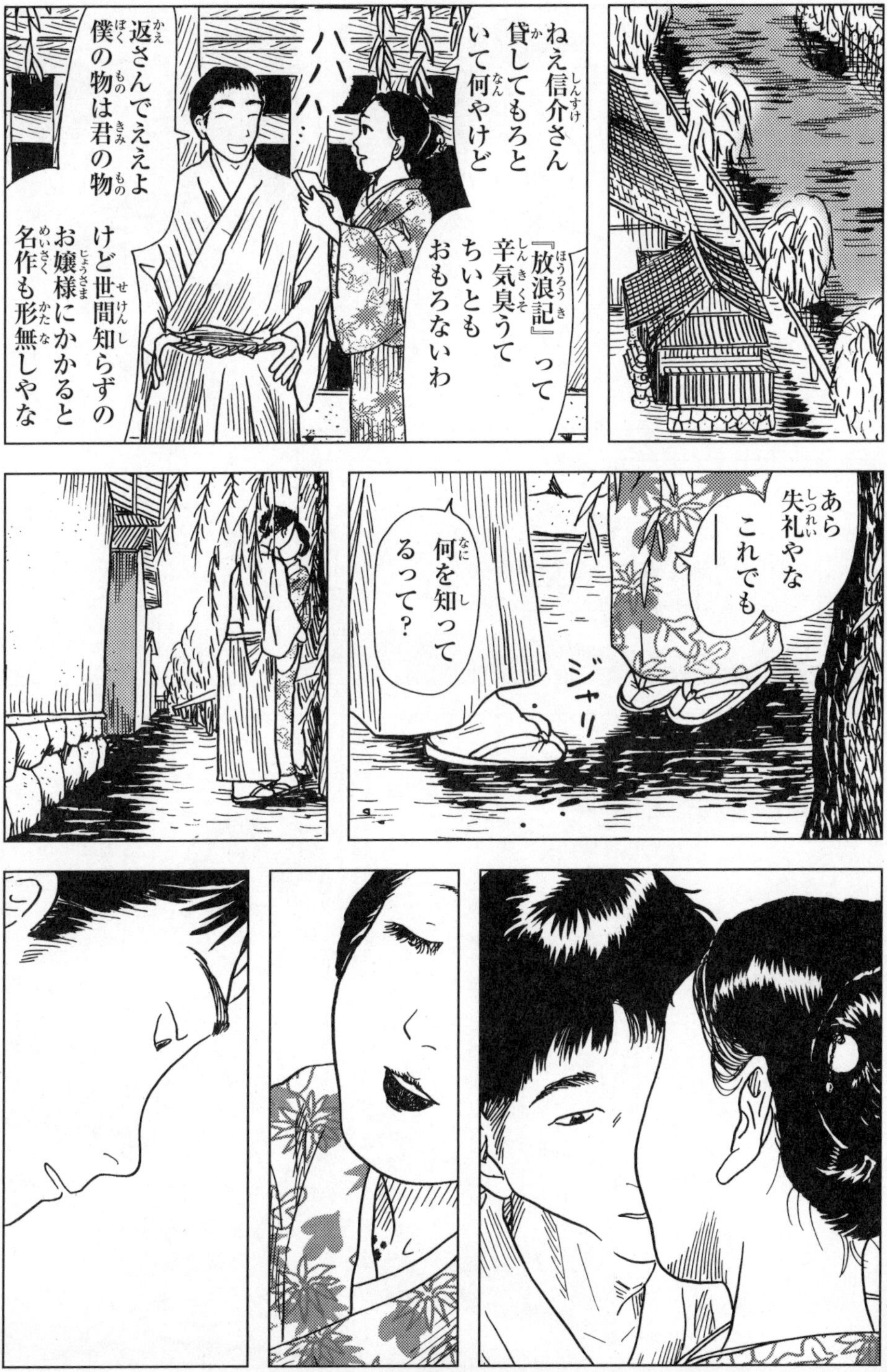
ねえ信介《しんすけ》さん
貸《か》してもろといて何《なん》やけど
『放浪記《ほうろうき》』って
辛気臭《しんきくそ》うて
ちいとも
おもろないわ
ハハハ…
返《かえ》さんでええよ
僕《ぼく》の物《もの》は君《きみ》の物《もの》
けど世間知《せけんし》らずの
お嬢様《じょうさま》にかかると
名作《めいさく》も形無《かたな》しやな
あら
失礼《しつれい》やな
これでも
——
何《なに》を知《し》って
るって?
ジャリ…

桂子《けいこ》さん その首《くび》は？
え……ああこれ？ 吹《ふ》き出物《でもの》やろ
別《べつ》に痛《いと》うは ないんよ
ならええけど 婚礼《こんれい》までに 治《なお》さんと
自慢《じまん》の 花嫁衣装《はなよめいしょう》が 台無《だいな》しやで
ひどおい
伊勢田屋
ふう
どれも 冴《さ》えへん なあ
あれまあ 何《なん》ですのん こないに 散《ち》らかして
それに 何《なん》て格好《かっこう》

お母《かあ》はん
邪魔《じゃま》せんといて
信介《しんすけ》さんと
お芝居《しばい》見《み》に
行《い》くねんから
ハイ ハイ
あら？
変《へん》なでき物《もの》
やねえ
明日《あした》 お医者様《いしゃさま》に
診《み》てもらい
あい
婚礼《こんれい》までに
何《なに》が何《なん》でも
治《なお》さなあかんえ
コーン。
先生《せんせい》
どない
ですか？
いやぁ
どうも私《わたし》の
専門外《せんもんがい》のよう
でしてな
……とにかく一度《いちど》
京都大学《きょうとだいがく》の
病院《びょういん》で診《み》て
もらっては
ただの吹《ふ》き出物《でもの》
でしょう？

ほな
お大事《だいじ》に
ああ
ごりょん
さん
はっきり
したことは
申《もう》せまへん
けどな
このことは
あまり他言《たごん》
されぬ方《ほう》が
よろしおすな
こっちやで
お母《かあ》はん
何《なん》で
知《し》っとん？

信介《しんすけ》さんにきいてん
皮《ひ》ふ科《か》に行《い》く言《い》うたん？
他言無用《たごんむよう》って先生《せんせい》に言《い》われたやろ
だって
信介《しんすけ》さん他人《たにん》と違《ちが》うもん
未来《みらい》の旦那様《だんなさま》やもん！
は！…
チュン
チ…
チュー
ふぁ～
何《なん》やぼうっとして眠《ねむ》たなるわぁ

桂子《けいこ》 ここにおったん
部屋《へや》でおとなしゅうしとき言《い》うたやろ
何《なん》で？
病人《びょうにん》じゃあるまいしはれ物《もの》ぐらいで
ええから薬《くすり》飲《の》んどき
訳《わけ》を教《おし》えてえな
祝言《しゅうげん》までひと月《つき》もないのに
信介《しんすけ》さんとも半月近《はんつきちか》く会《あ》えてへんのやで
その話《はなし》はまた今度《こんど》
ええな？
ハァ…
チャプン

おいでやす
おいでやす
ああ 売薬《ばいやく》はん裏《うら》から入《はい》ってて言《い》うたのに とにかく早《はよ》う中《なか》へ
へえへえすんません
今《いま》までの倍《ばい》もしますのか
最近《さいきん》はニセ物《もの》も出回《でまわ》ってましてな
上《じょう》モノを手《て》に入《い》れるんも大変《たいへん》なんですわ
トメ
あの薬《くすり》って売薬《ばいやく》はんから買《こ》うてん？
いとはん
……ほお
患者《かんじゃ》はこの人《ひと》か

桂子《けいこ》！
えらい べっぴんさん ですのに お気《き》の毒《どく》な
こりゃあ何《なん》でも してあげたく なりましょうな
むこうへ 行《い》っといで
でもそれ 私《わたし》の薬《くすり》でしょ
いいや わしの 神経痛《しんけいつう》の薬《くすり》 やさかい な
え～？
まいどー
は！…
うちが商売《しょうばい》しとう思《おも》うて 足下見《あしもとみ》おって
けど 病気《びょうき》のこと 言《い》いふらされたら
店《みせ》が つぶれてしまい ますえ

テ
テン
ジャン
ビィイイ…ン…
バヂッ
つっ
皆《みな》 何《なに》か
知《し》っとうに
何《なん》で教《おし》えて
くれへん
のやろ
桂子《けいこ》
ちょっと
よろしいか
出《で》かけるなら
夜《よる》にしなさい
ええの!?

朝早《あさはよ》う人目《ひとめ》につかんうちに出《で》かけてな
皮《ひ》ふ科《か》で診《み》てもろうて　表《おもて》が暗《くろ》うなってから帰《かえ》っといで
何《なん》でもええわ　信介《しんすけ》さんに会《あ》えさえすれば
あかんえ
あんたは有馬《ありま》の別荘《べっそう》に湯治《とうじ》に行《い》ったことにします
知《し》り合《あ》いにみつからんよう静《しず》かにしときや
――なんてこと言《い》うねんでうちの親《おや》
結婚《けっこん》させるんイヤになったんやろか
もうあんなきゅうくつな家《いえ》辛抱《しんぼう》できひん
信介《しんすけ》さん　私《わたし》を連《つ》れて逃《に》げてくれへん

桂子《けいこ》さん
医学部《いがくぶ》出《で》の友人《ゆうじん》に聞《き》いたわ　君《きみ》の病気《びょうき》は専門《せんもん》の病院《びょういん》に入院《にゅういん》せな治《なお》らんらしい
だから僕《ぼく》のことは忘《わす》れて　療養《りょうよう》に専念《せんねん》してほしい
信介《しんすけ》さん？
信《しん》――
だっっ
どういうこと？

昭和《しょうわ》十二《じゅうに》年末《ねんまつ》
いとはん 足元《あしもと》にお気《き》をつけて
健康保険
健康は身のため國の爲
六月廿五日 癩豫防デー
癩を根絶せよ
癩は遺傳ではない傳染病である
目《め》がみえにくい？
皮膚科
どんな感《かん》じですか
目《め》が乾《かわ》いて痛《いた》むんです

まぶたを動《うご》かす顔面神経《がんめんしんけい》が麻痺《まひ》してきてますね
目薬《めぐすり》を出《だ》しておきましょう
三井先生《みついせんせい》待合室《まちあいしつ》で聞《き》きました
ここを辞《や》めはるいうんはほんまですか
ええ 以前働《いぜんはたら》いていた病院《びょういん》が岡山《おかやま》の長島《ながしま》に再建《さいけん》されるんです
なじみの患者《かんじゃ》さんも大勢《おおぜい》いますし
あなたも来《き》ませんか
岡山《おかやま》ですか……
遠《とお》いけど月《つき》いち位《くらい》なら
その病院《びょういん》に外来《がいらい》はありません
入院《にゅういん》のみです

入院《にゅういん》なんて両親《りょうしん》が承知《しょうち》しまへん
でも 薬代《くすりだい》もバカにならないでしょう
療養所《りょうようじょ》に入院《にゅういん》すれば 国《くに》が治療費《ちりょうひ》を――
カタ
三井先生《みついせんせい》院長《いんちょう》がお呼《よ》びです
気《き》が変《か》わったら
いつでも療養所《りょうようじょ》に来《き》て下《くだ》さい

カタン
ただいま…
すんまへん 年明《としあ》けにはまとめて払《はら》いますさかい
困《こま》るがな うちも商売《しょうばい》やし
手《て》ぶらじゃ帰《かえ》れんから宿賃《やどちん》も上乗《うわの》せさしてもらうで
婚礼《こんれい》までに治《なお》さんと
自慢《じまん》の花嫁衣裳《はなよめいしょう》が台無《だいな》しやで

タッ…
三年目《さんねんめ》には
もう
部屋《へや》を
出《で》るのさえ
おっくうに
なっていた
桜《さくら》……
いつの間《ま》に
終《おわ》ったん
やろ

お断《ことわ》りだす
病院《びょういん》なんぞに
やれまへん
トン…
トン…
風光明媚《ふうこうめいび》な
島《しま》ですよ
半年《はんとし》も療養《りょうよう》
すれば帰《かえ》って
こられます
カタン
どなた?
桂子《けいこ》!

私《わたし》の病気《びょうき》のことでしょう
ええから上《うえ》で大人《おとな》しゅうしとき
二度《にど》と勝手《かって》に出《で》たらあかんで
何《なん》で私《わたし》ぬきで話《はな》すん？
お父《とう》はんのあほう
桂子《けいこ》！
パサッ
サッ

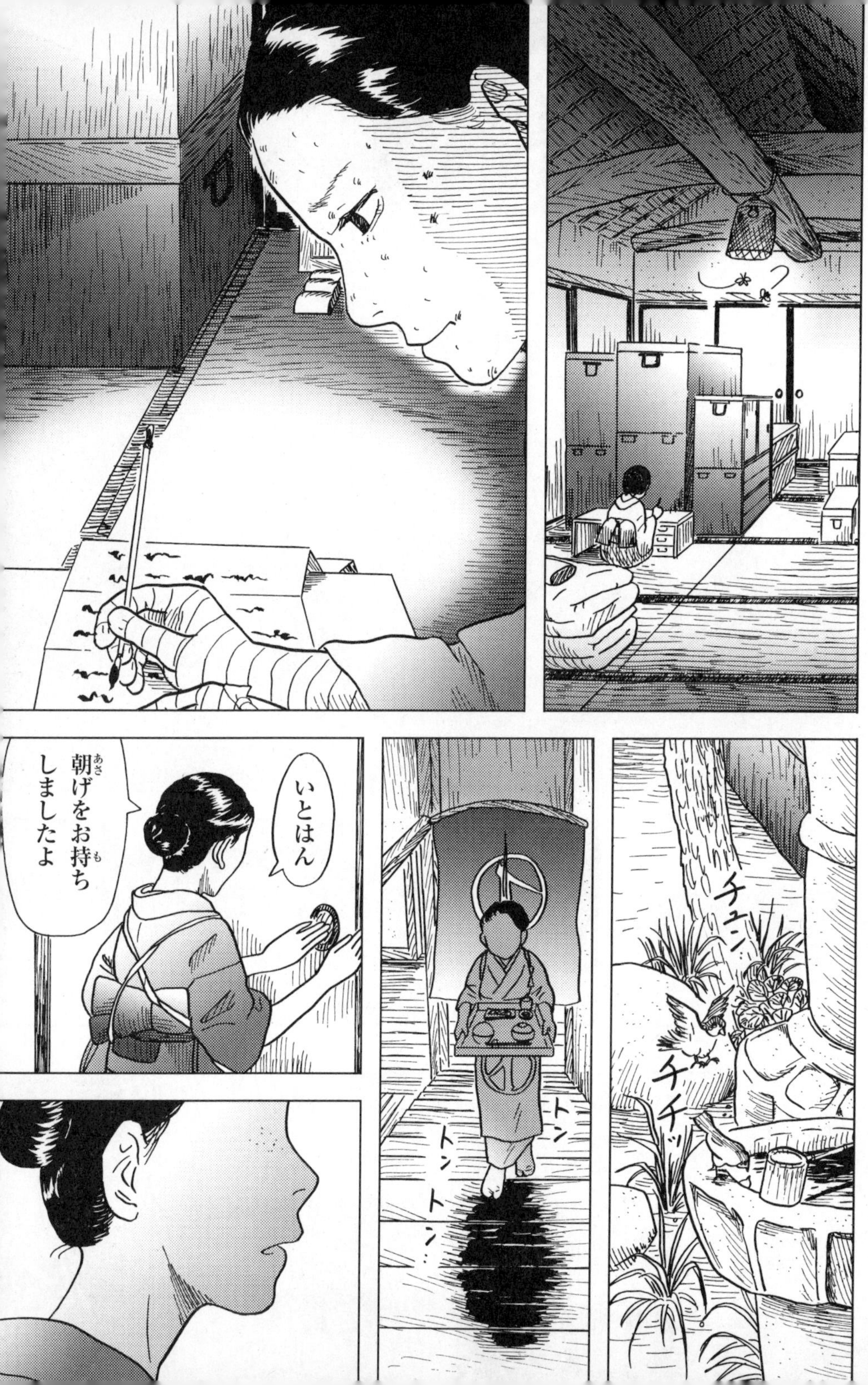
チュン…
チチッ
トン
トン
トン…
いとはん
朝《あさ》げをお持《も》ちしましたよ

ああ トメ ちょうど よかった
手紙《てがみ》を届《とど》けて きとくれやす
信介様
は…
はい

カアー
カアー
彼《かれ》は来《こ》なかった
第《だい》18話《わ》
転落《てんらく》

チャプン
はっ
せ…せや　黙《だま》って家《いえ》
抜《ぬ》け出《だ》してきたんや
ばれたらまた
お父《とう》はんに
叱《しか》られる
ドサッ
帰《かえ》ろう
伊勢田屋
ザワ
ザワ
何《なに》この
人《ひと》だかり
この匂《にお》い

ここで櫛《くし》を買《こ》うたのにどないしょう
あたしも気味悪《きみわる》いわあ
ちょっと
あ…
天下《てんか》の伊勢田屋《いせだや》はんもおしまいやな
ご隠居《いんきょ》はん 一体何《いったいなに》が——
気《き》の毒《どく》に
下《さ》がって下《さ》がって!
お巡《まわ》りさん ここに小間物《こまもの》を納《おさ》めさしてもろとんのやけど
何《なん》ぞあったんでっか?
消毒中《しょうどくちゅう》だ 下《さ》がりなさい
この家《いえ》から伝染病患者《でんせんびょうかんじゃ》が出《で》たのだ
でっ
伝染病《でんせんびょう》!?

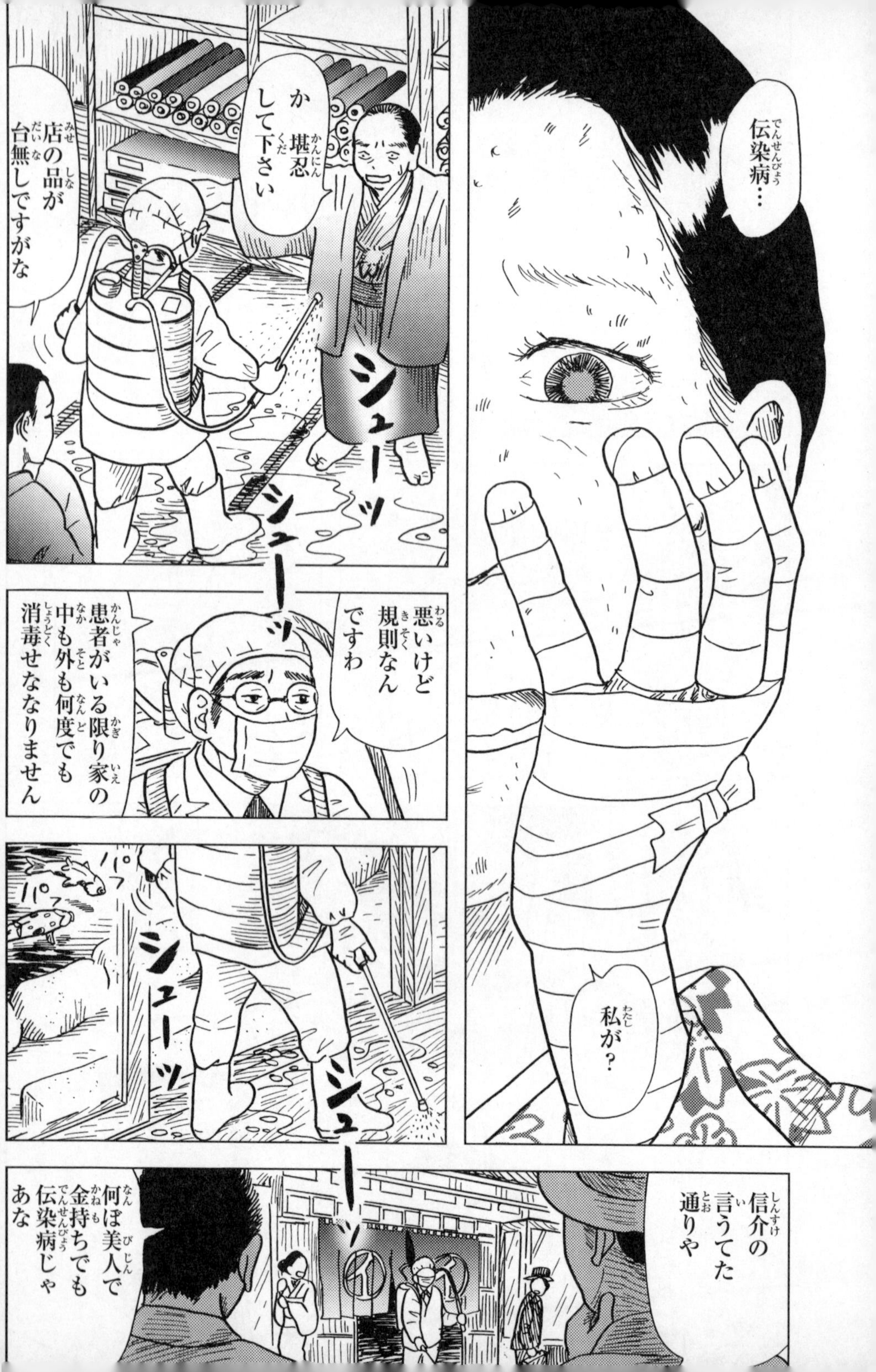

伝染病《でんせんびょう》…
私《わたし》が？
か堪忍《かんにん》して下《くだ》さい
店《みせ》の品《しな》が台無《だいな》しですがな
シューーッ
シューーッ
悪《わる》いけど規則《きそく》なんですわ
患者《かんじゃ》がいる限《かぎ》り家《いえ》の中《なか》も外《そと》も何度《なんど》でも消毒《しょうどく》せななりません
パフ
パフ
シューーッ
シューーッ
信介《しんすけ》の言《い》うてた通《とお》りや
何《なん》ぼ美人《びじん》で金持《かねも》ちでも伝染病《でんせんびょう》じゃあな

ここに仕立《した》て
頼《たの》んどったん
どないする？
もちろん取《と》り
消《け》さな　病気《びょうき》が
うつったら
大変《たいへん》やん
菊江《きくえ》さん
みさ子《こ》さん…
あの病気《びょうき》に
かかったら
目鼻《めはな》も手足《てあし》も
だめになるんやて
え！？
あないべっぴん
やったのに
お気《き》の毒《どく》やわあ
桂子《けいこ》！
家《いえ》の中《なか》に
おりなさい
ポタ
ピチョン
…お母《かあ》はん

私《わたし》が
ポタン
ピチョン
私《わたし》が入院《にゅういん》すれば店《みせ》も家《いえ》も消毒《しょうどく》されへんのやな
けど 警察《けいさつ》ざたになって 店《みせ》を消毒《しょうどく》されて 商売《しょうばい》あがったりやないの
桂子《けいこ》は大事《だいじ》な跡取《あとと》り娘《むすめ》や 入院《にゅういん》なぞせんでええ
せや 薬《くすり》ならなんぼでも買《こ》うたるで
跡取《あとと》りやからこそ私《わたし》のせいで店《みせ》をつぶすわけにはいかへんわ
私《わたし》 病院《びょういん》に行《い》きます
桂子《けいこ》……

また消毒《しょうどく》されんうち療養所《りょうようじょ》に行《い》かな
治療代《ちりょうだい》がタダで「風光明媚《ふうこうめいび》な島《しま》」とやらに
うつったら大変《たいへん》やん
あないべっぴんやったのにお気《き》の毒《どく》やわあ
あの病気《びょうき》にかかったら
目鼻《めはな》も手足《てあし》もだめになるんやて
ここにおって病気《びょうき》が進《すす》めば伊勢田屋《いせだや》の看板《かんばん》に泥《どろ》を塗《ぬ》ってしまう
カタン..
いとはん
トメ
その顔《かお》……

その……
お手紙《てがみ》を
届《とど》けた時《とき》に
信介《しんすけ》さんの
お母様《かあさま》に下駄《げた》を
投《な》げられまして
けど
いとはんの
大事《だいじ》なお手紙《てがみ》
やさかい
読《よ》んでくれはる
まで帰《かえ》りまへん
いうて――
下駄《げた》を
投《な》げた後《あと》
警察《けいさつ》に通報《つうほう》
したんや
信介《しんすけ》さんに
会《あ》えました
か？

あ
この布団《ふとん》使《つこ》うて下《くだ》さい
消毒《しょうどく》でぬれたお布団《ふとん》ではお困《こま》りでしょうさかい
急《きゅう》なことで今日《きょう》は新《あたら》しい布団《ふとん》が手《て》に入《はい》りまへんでした
私《わたし》の布団《ふとん》ですけど辛抱《しんぼう》して下《くだ》さい
出《で》かけとったせいか消毒《しょうどく》の人《ひと》見落《みお》とさはったみたいです
小《ちい》さい頃《ころ》はよう一緒《いっしょ》にこの布団《ふとん》で寝《ね》ましたねえ
いとはんは何《なに》かうまくいかへん度《たび》に
この世《よ》の終《お》わりみたいに泣《な》かはって

けど この世《よ》の終《お》わりはそうそう来《き》いしまへん
母《はは》が死《し》ぬまぎわにそう言《い》うてました
さ お疲《つか》れでしょう
もう おしまいや 伊勢田屋《いせだや》も ——私《わたし》も
病気《びょうき》で不細工《ぶさいく》になって縁談《えんだん》は破談《はだん》で店《みせ》は傾《かたむ》いて
これがこの世《よ》の終《お》わりやのうて何《なん》なんよ

あんたとは乳《ち》きょうだいで昔《むかし》からよう一緒《いっしょ》に遊《あそ》んだけど
ほんまはねたましかったんやろ
……いとはん？
私《わたし》が病気《びょうき》になって嬉《うれ》しいやろ
もうええ
出《で》ていきよし

伊勢田屋
傳染病患者
護送中ニツキ
一般客乗車不可
何《なん》やコレ
乗《の》られへんのかい
いとはん
お体《からだ》に
気《き》をつけて
さいなら
トメ
もう
会《あ》うことも
ないやろな

傳染病患者
護送中ニツキ
一般客乗車不可
けっ…
行《い》ってきます
桂子《けいこ》!
シューーッ
シューーッ
ボォオオォー

あほやわ お父《とう》はん
嫁入《よめい》り衣装《いしょう》まで持《も》たせて
まるで
タタン…
タタン…
棺桶《かんおけ》に晴《は》れ着《ぎ》を入《い》れるみたいやん
タタン
タタン

ダン
ダン
ダン
伊勢田屋《いせだや》さんいてはらへんの
ダン
出て行け
ダンッ
約束《やくそく》の日《ひ》やで
今日《きょう》こそ払《はろ》うてもらえますやろな
ガラララ
何《なん》や開《あ》いとる
いーせだーやさーん
逃《に》げたんやないやろな
あっちゃ〜

殺虫剤《さっちゅうざい》か…
今《いま》ここがこの世《よ》の終《お》わり
どん底《そこ》や
ころして
死《し》にたきゃ死《し》んだらええやん
この世《よ》のおわりはそうそう来《き》いしませんよ
そう思《おも》いたいだけやろ

あーあ
食《く》うて寝《ね》るだけの座敷豚《ざしきぶた》が
ちっ
バシャッ
カーン
何《なに》すんねんこのアマ
ト
トヨはん
恵子《けいこ》!
ダンナとうまくいかへんから付《つ》き添《そ》い部屋《べや》に来《き》たんやろ?
八《や》つ当《あ》たりせんといて

何《なん》やて
堪忍《かんにん》しとくんなはれ
恵子《けいこ》にはわしからよう言《い》うときますさかい
恵子《けいこ》
付《つ》き添《そ》いは大事《だいじ》にせなあかん
ドスドス
嫌《きら》われたら何《なに》もしてもらわれへんで
リー…
リー…
リー
おい どこ行《い》くねん
日《ひ》も暮《く》れるし危《あぶ》ないで
昼《ひる》も夜《よる》も関係《かんけい》あらへん
私《わたし》にはな
リー…
リー…
コロコロ
コロ…
コッ
コッ
リー
リー…
ふう…
泣《な》きっ面《つら》の麦《むぎ》に嫌《いや》みのひとつも言《い》うたら
胸《むね》が晴《は》れると思《おも》うたのに

道《みち》　わから
へんように
なったやん
食糧増産《しょくりょうぞうさん》
いうて人《ひと》に
ことわりなく
勝手《かって》に畑《はたけ》
増《ふ》やして
食事《しょくじ》は
ちいとも
良《よ》うならへん
のに――
リーリーン
ザザ…
ガッ
あっ

ドサ
きゃあっ
ばしゃっ
はあっ
はあっ
はあっ
海《うみ》──
ザザ…

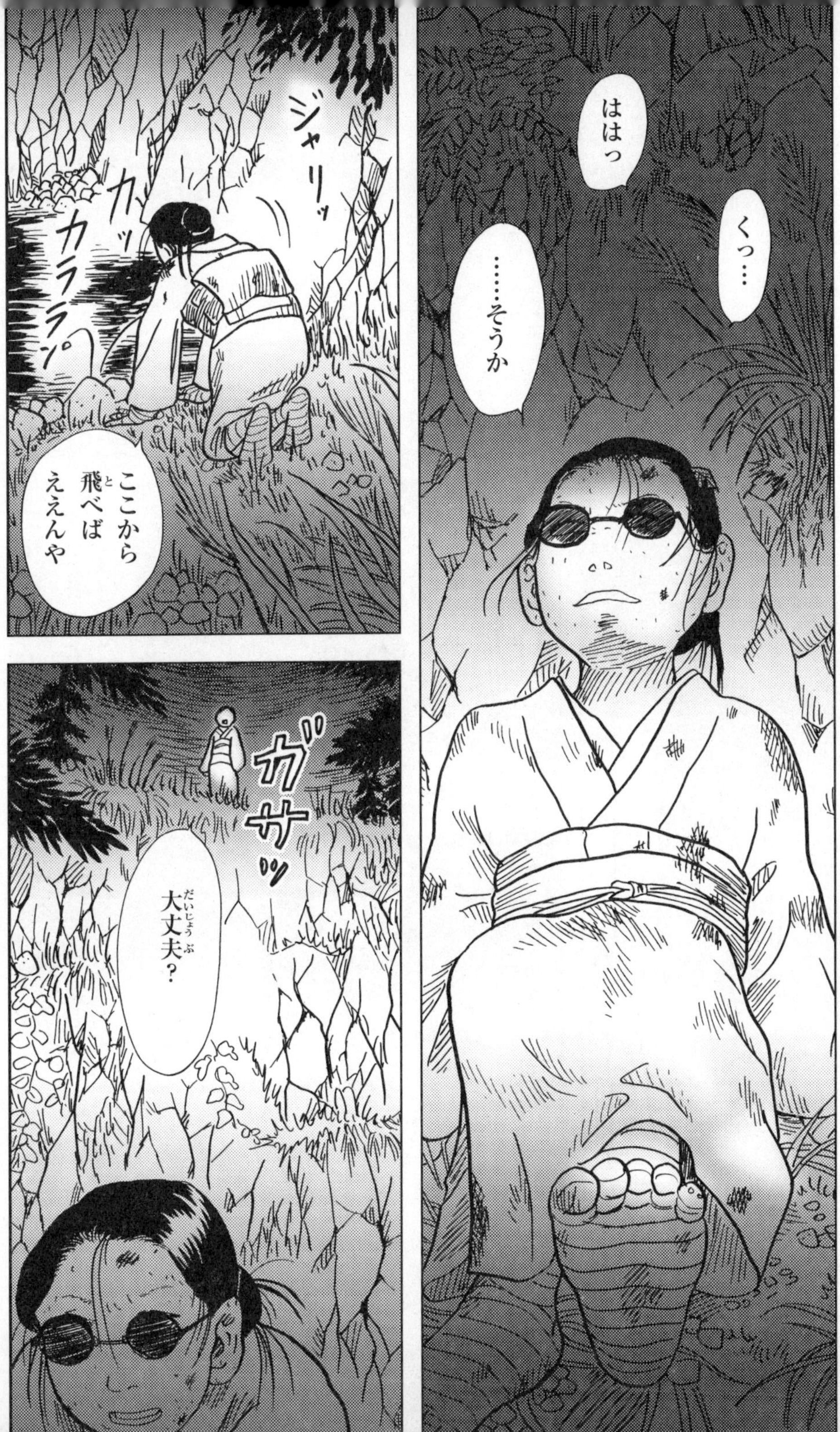
くっ…
……そうか
ははっ
ジャリッ
カッ
カラランッ
ここから飛《と》べばええんや
ガサッ
大丈夫《だいじょうぶ》？

──麦《むぎ》?
何《なん》でここに
ごめんなぁ 私《わたし》が倒《たお》れとうとこにつまづいたんやね
ちょっと待《ま》って 今《いま》助《たす》けをっ
キャ───ッ
ガラ ガラ
ガラ
ガッ

ザザー…
パラララ…
ご…ごめんな　私《わたし》まで落《お》ちてもた
放《ほ》っとけんかったさかい　困《こま》った時《とき》はお互《たが》い様《さま》
冗談《じょうだん》やない　いい人《ひと》ぶって余計《よけい》なことばっかりして

放《ほ》っといて
盲人《もうじん》で結節《けっせつ》だらけの
化《ば》け物《もの》が死《し》ねば
みんな喜《よろこ》ぶわ
そんなこと
言《い》うて
おうちの人《ひと》が
悲《かな》しむで
私《わたし》のせいで
店《みせ》はつぶれ
親《おや》は心中《しんじゅう》して
ジャリッ
私《わたし》だけ
のうのうと
生《い》きててええ
わけあらへん
じつを言《い》うと
私《わたし》もな
海《うみ》に身投《みな》げ
しようとした
ことあるんよ
カララ
コーン

パキ
けど
できひん
かってん
真冬《まふゆ》の海《うみ》が
あんまり
冷《つめ》たそうで
おかしな
話《はなし》やん
これから
死《し》ぬのに
寒《さむ》さが気《き》に
なるなんて
フフ…
そやろ
あなたも
さっき
食糧《しょくりょう》が
どうとか
言《い》うて
なかった？
うっ…
とん
死《し》ぬのは
まだ早《はや》い
親《おや》にもろうた
命《いのち》を自分《じぶん》の都合《つごう》で
捨《す》てたらあかん

私《わたし》があなたの親《おや》なら
死《し》ぬまで生《い》きとってほしいで
びくっ
かわいそうに怖《こわ》かったなあ
もう大丈夫《だいじょうぶ》やで
ぽんぽん
べっちょない
べっちょない

いとはんはうまくいかへんとすぐ泣《な》かはる
この世《よ》のしまいはそうそう来《き》いしまへんで
自分《じぶん》ができひんならできる人《ひと》に頼《たの》めばええんですよ
何《なに》がべっちょないや
あんたまで一緒《いっしょ》に落《お》ちてどないするん
ああべっちょない
すう…!

たーすーけーてーー!!
バサバサ
カァー
カァガァー
誰《だれ》か来《き》てーー!!!

カァー
カァー
旦那《だんな》のアホンダラ――――!
根性《こんじょう》無《な》し――――!!
あははははは
くっくっ
ああおかしい
こないに笑《わろ》たん何年《なんねん》ぶりやろ

誰《だれ》か——
おおーい
ザザ…
コロ コロロ コロ
リリー…リリリーン
ふー…
誰《だれ》も来《こ》ぉへんやん
そのうち誰《だれ》か探《さが》しに来《き》はるわ
歌《うた》でも歌《うと》てのんびり待《ま》ちましょ

母《はは》の形見《かたみ》なんやで
私《わたし》が十歳《じゅっさい》の時《とき》蒸発《じょうはつ》したきり生《い》きとうかどうかも分《わ》からへん
ちょっと
「ちりばめぬ」の次《つぎ》は「きょうのわざを」やろ
まちがえたかてべっちょないやん
べっちょない?
何《なに》かひどいことされへんかった?

私《わたし》……
あんたにひどいことした
ごめんな
麦《むぎ》
ザザザ
……む
……麦《むぎ》？

ガシャッ
門口《かどぐち》で茶碗《ちゃわん》を割《わ》るのは
持《も》ち主《ぬし》が死《し》んだ時《とき》
持《も》ち主《ぬし》がもう二度《にど》と共《とも》に食卓《しょくたく》を囲《かこ》むことがないという意味《いみ》だった

第《だい》19話《わ》
母《はは》の失踪《しっそう》

ほら
千代《ちよ》ちゃん
こっち!
ドタ
ドタ
麦《むぎ》さん　聡子《さとこ》が
いつもお世話《せわ》に
なってます
しおりさん
そんなに気《き》ぃ
遣《つか》わんとって
聡子《さとこ》ちゃん
楽《たの》しくて
ええ子《こ》よ
コウちゃん
お土産《みやげ》
もろたで

これも猫《ねこ》のおもちゃ？
お姉《ねえ》ちゃんな私《わたし》をダシにして千代《ちよ》ちゃんに会《あ》いに来《き》てんで
ワッ
何よ
しおりさんおおきにな
お茶《ちゃ》入《い》れるさかい テレビでも見《み》よって
い〜！
プチ
モレないムレない
はじめてのオムツ

かわいい赤《あか》ちゃんに
はかせるおムツーマン
きゃはははっ
そういえばこの間《あいだ》ね
コトン…

七五三《しちごさん》の記念撮影《きねんさつえい》はぜひ当館《とうかん》で
お子様《こさま》の成長《せいちょう》の記録《きろく》を残《のこ》しましょう
二人《ふたり》とも食《く》いいるように見《み》るよね
子供《こども》そない好《す》き？

しおりさんも お茶《ちゃ》あがって
ハイ 私《わたし》 猫舌《ねこじた》で……
あら？
ちょうどいい おいし……
麦《むぎ》さんも 猫舌《ねこじた》なん ですか？
ゴロゴロ ゴロ
そうやねん 麦《むぎ》ばあのお茶《ちゃ》 いつもぬるいの
んで麦《むぎ》ばあ ひとがお茶《ちゃ》とか 飲《の》むとすげー ニヤニヤするよね
あんたはもう さしあげたお菓子《かし》を 勝手《かって》にあけて
麦《むぎ》ばあは 箱《はこ》とか袋《ふくろ》 あけんの 苦手《にがて》なの 誰《だれ》が開《あ》け たって ええやん
どうせ皆で 食べるんやし

麦《むぎ》って変《か》わった名前《なまえ》やん
からかわれたりせんかった?
……どうやったかなあ
どないしたん急《きゅう》に
あたしの聡子《さとこ》って名前《なまえ》な
小《ちい》さいころ漢字《かんじ》で書《か》けへんでさ

そしたら お姉《ねえ》ちゃんが
おねえちゃん! おねえちゃん、てばー
だぁ ウルセー
ホラ
最初《さいしょ》にそれ 覚《おぼ》えたもん やから
今《いま》でも うっかり まちがえるの ひどくね?
あはは… しおりさんったら
そういうこと あるねえ 歌《うた》とか
まちごうて 教《おそ》わったんが 直《なお》らへんわ
歌《うた》?
夕方《ゆうがた》になると そこのスピーカーで流《なが》すやろ
♫ とーおきー やーまにー ……って
ああそれ
ドボルザークの 交響曲《こうきょうきょく》の一部《いちぶ》で 「家路《いえじ》」っていう そうです

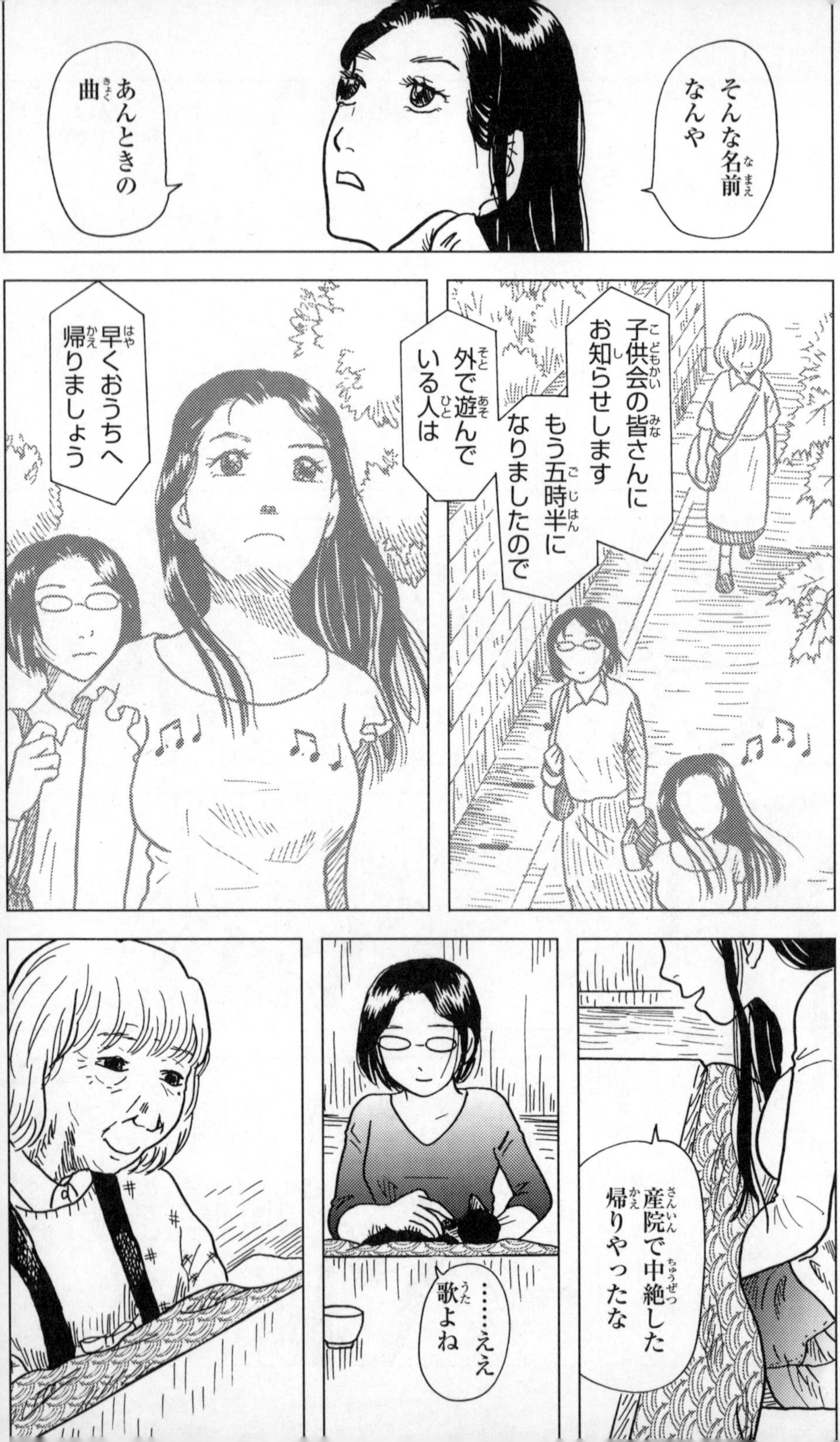

そんな名前《なまえ》なんや
あんときの曲《きょく》
子供会《こどもかい》の皆《みな》さんにお知《し》らせします
もう五時半《ごじはん》になりましたので
外《そと》で遊《あそ》んでいる人《ひと》は
早《はや》くおうちへ帰《かえ》りましょう
産院《さんいん》で中絶《ちゅうぜつ》した帰《かえ》りやったな
……ええ歌《うた》よね

麦《むぎ》ばあにまちがえた歌《うた》教《おし》えた人《ひと》意地悪《いじわる》でメガネしてなかった？
あははは
聡子《さとこ》～
麦《むぎ》さんのお名前《なまえ》はどなたが？
……母《はは》よ
姉《あね》がヨネ
弟《おとうと》が実《みのる》ちゃん
実《みのる》ちゃんって……
麦《むぎ》ばあの弟《おとうと》ならもうじーさんやろ
変《へん》なのー小学生《しょうがくせい》みたい
聡子《さとこ》！

「メイクドラマ」
「友愛《ゆうあい》」
「自分《じぶん》をほめたい」
が
96年流行語《ねんりゅうこうご》大賞《たいしょう》に
プチン
くわ〜ぁ
日曜《にちよう》のテレビってつまらんなあ
そお？
聡子《さとこ》　アンタよそ様《さま》のチャンネルを勝手《かって》に…もうおいとまするで
何《なん》やしおりさん夕飯《ゆうはん》食《た》べていかへんの？
鍋《なべ》でもしよかと思《おも》てたんよ
食《た》べへんの？麦《むぎ》ばあの鍋《なべ》意外《いがい》とうまいで
そそれはまた今度
聡子《さとこ》も行《い》くでお父《とう》さんとこ
えぇー
聞《き》いてねーよ!!

そお
そら 行《い》って
あげんとねえ
父《ちち》が盲腸《もうちょう》で
入院《にゅういん》してて
こそ
ちぇっ
ヘアサロン
麦
弱《よわ》った隙《すき》に
聡子《さとこ》と
仲直《なかなお》りを……
私《わたし》の姉《あね》も
しおりさん
みたいやっ
たよ
小《ちい》さい頃《ころ》から
母親《ははおや》がわりに
面倒《めんどう》みて
くれて
そうか 麦《むぎ》ばあの
お母《かあ》さん……
いなくなっ
たんだっけ

大正十二年《たいしょうじゅうにねん》
姫路《ひめじ》
ホギャア
ホギャア
また女《おなご》か……
ふ
すみません
お義母《かあ》さん
私《わたし》な 前《まえ》から
考《かんが》えとってん
元気《げんき》な
ええ子《こ》や
名前《なまえ》は
どないする？

漢字《かんじ》で「麦《むぎ》」
麦《むぎ》みたいに元気《げんき》でまっすぐ育《そだ》つように
ええ名《な》ぁやけど女《おんな》の子《こ》に漢字《かんじ》は名前負《なまえま》けせえへんか
ぜいたくはさしてあげられへんけど
名前《なまえ》ぐらいはええのをつけてあげたいやん
だって命《いのち》と名前《なまえ》は親《おや》から最初《さいしょ》にもろうて
一生使《いっしょうつか》う宝物《たからもの》やもん

昭和二年《しょうわにねん》
キャー！
アハハ
こら麦《むぎ》！
もおー
あははは
きれいになったなあ実《みのる》ちゃん
だ
ええて カナエは休《やす》んどき
栄養《えいよう》が足《た》りひんのやろか
跡取《あとと》り息子《むすこ》に乳《ちち》もよう飲《の》ませれんとはな
何《なん》ででしょうねえ
今度《こんど》は産後《さんご》の肥立《ひだ》ちが良《よ》うなくて
エヘエヘヘ…
おかん そうチクチクいうなや
カナエは元々《もともと》体《からだ》が丈夫《じょうぶ》やないんやで
心配《しんぱい》しようだけやがな
カァ
カァー

寝《ね》とらな あかんやん
ええねん 動《うご》かんと体《からだ》が なまってまう
おい 血《ち》が 出《で》とうで！
えっ
どこ!?
実《みのる》やない お前《まえ》の手《て》や
なあんや 良《よ》かったあ てっきり 実《みのる》ちゃん かと
良《よ》かったぁや ないやろ ばい菌《きん》入《はい》るで 何《なん》で気《き》づか へんねん
ボーン…
ボーン…
お母《かあ》さん 手《て》 痛《いた》ない？
べっちょない しびれるだけで 痛《いと》うはないんよ

アハハハ…
何《なん》で痛《いた》ないねん にぶいでアンタ
カナエさん 首《くび》のあざ どないした
別《べっ》に痛《いと》うは ないんですよ 何《なに》かに かぶれ たんかも
だぅー
…そうか？
チ…
チュン…
おはよう ございます
あ ああ おはよう さん

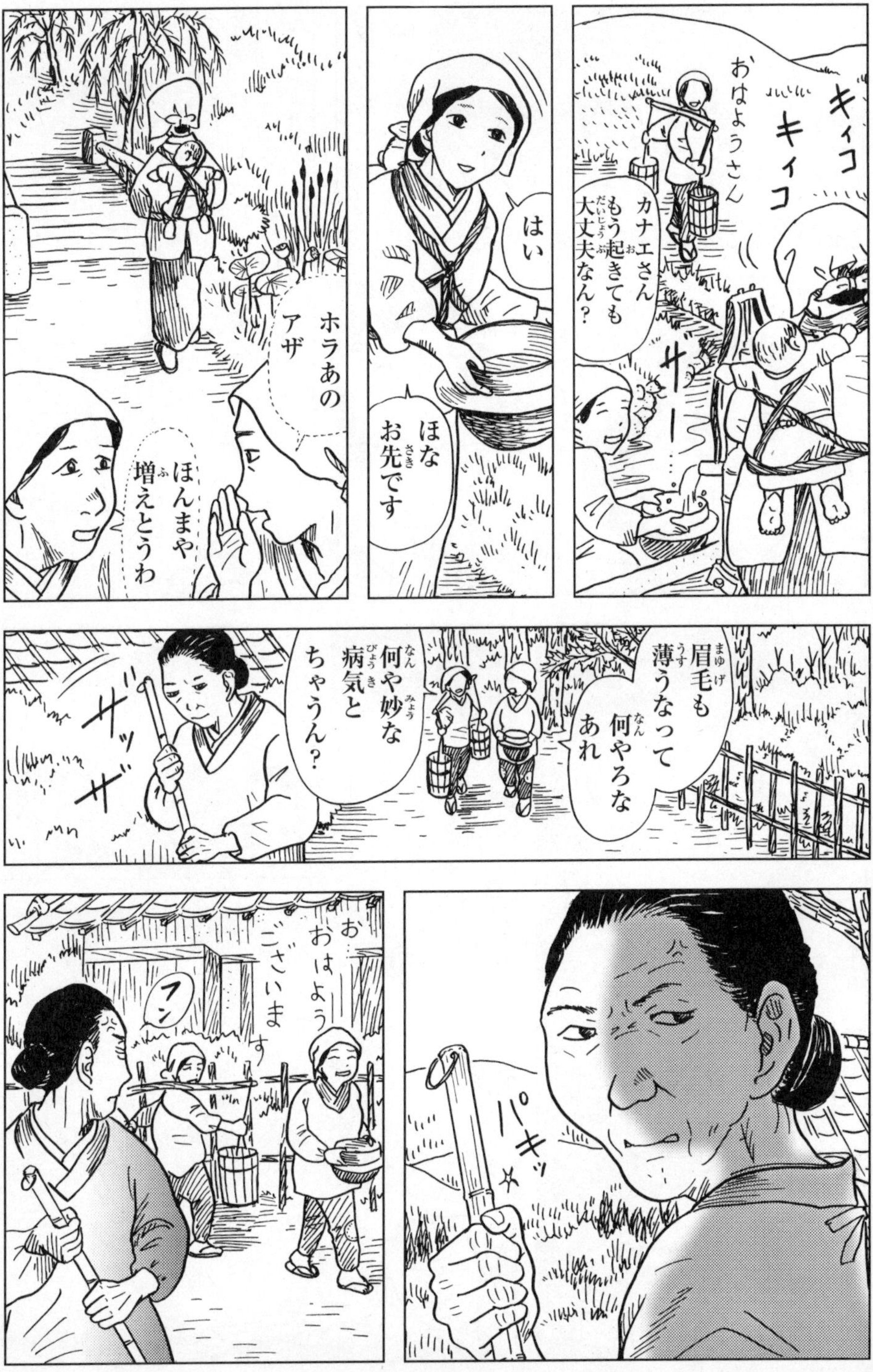
キィコ
キィコ
おはようさん
カナエさん
もう起《お》きても
大丈夫《だいじょうぶ》なん？
ザー……
はい
ほな
お先《さき》です
ホラあの
アザ
ほんまや
増《ふ》えとうわ
眉毛《まゆげ》も
薄《うす》うなって
何《なん》やろな
あれ
何《なん》や妙《みょう》な
病気《びょうき》と
ちゃうん？
ザッ
ザッ
パキッ
お…
おはよう
ございます
フン

ザッ
ザ
お父《とう》さん何《なん》で？
何《なん》でお母《かあ》さんだけ馬屋《うまや》で寝《ね》るん
私《わたし》もここで寝《ね》る
麦《むぎ》も！
大声《おおごえ》出《だ》すな
実《みのる》が起《お》きてまうがな
お前《まえ》らもうお姉《ねえ》ちゃんなんやさかい一人《ひとり》でも寝《ね》られるやろ
カタン
ヨネ
麦《むぎ》

欲《ほ》しがってた お人形《にんぎょう》作《つく》って あげような
ほんま!?
せやさかい ええ子《こ》して ねんねし
な?
うん!
さ もう寝《ね》るで
カタタ…
お母《かあ》さん ひとりで さみしない?

べっちょない
心配《しんぱい》せんとき
さ もう
おやすみ
おやすみ
なさい
チチッ
トタタタ…
うあぁ～ん
うあぁ～ん
うぇ～ん

バサ
バサッ
コッコッコケーッ
うわぁぁぁぁー!
ぶぁあぁぁ
おおおお
ひもじいか
どかっ
いっ今《いま》重湯《おもゆ》を
冷《さ》ましよう
さかいな
カターン。
すいません
お母《かあ》さん
実《みのる》ちゃんに
お乳《ちち》だけは……
あーーぅ
あんたは産後《さんご》の
肥立《ひだ》ちが悪《わる》うて
寝《ね》たきりなんや
食事《しょくじ》は後《あと》で
持《も》っていく
さかい
んーま。

よろしいか
カナエさん
これから実《みのる》は
私《わたし》が面倒《めんどう》をみる
そんな
タン
待《ま》っ…
あれは裏《うら》の
おいさんと
同《おな》じ病気《びょうき》や
人《ひと》に知《し》れたら
えらいことに
なってまう
ぶ～
キチチッ
チチ

うわぁあん
えぇーん
コーッ
コッ
コッ
昭和七年《しょうわななねん》
母《はは》の病状《びょうじょう》は進行《しんこう》していた
ひっく
ぐすっ
ガタ
お母《かあ》さん
麦《むぎ》!
……ここに来《き》たらあかん言《い》うたやろ
ひっく
だって國夫《くにお》ちゃんが
お前《まえ》の母《かあ》ちゃん……恐《こわ》い病気《びょうき》やって

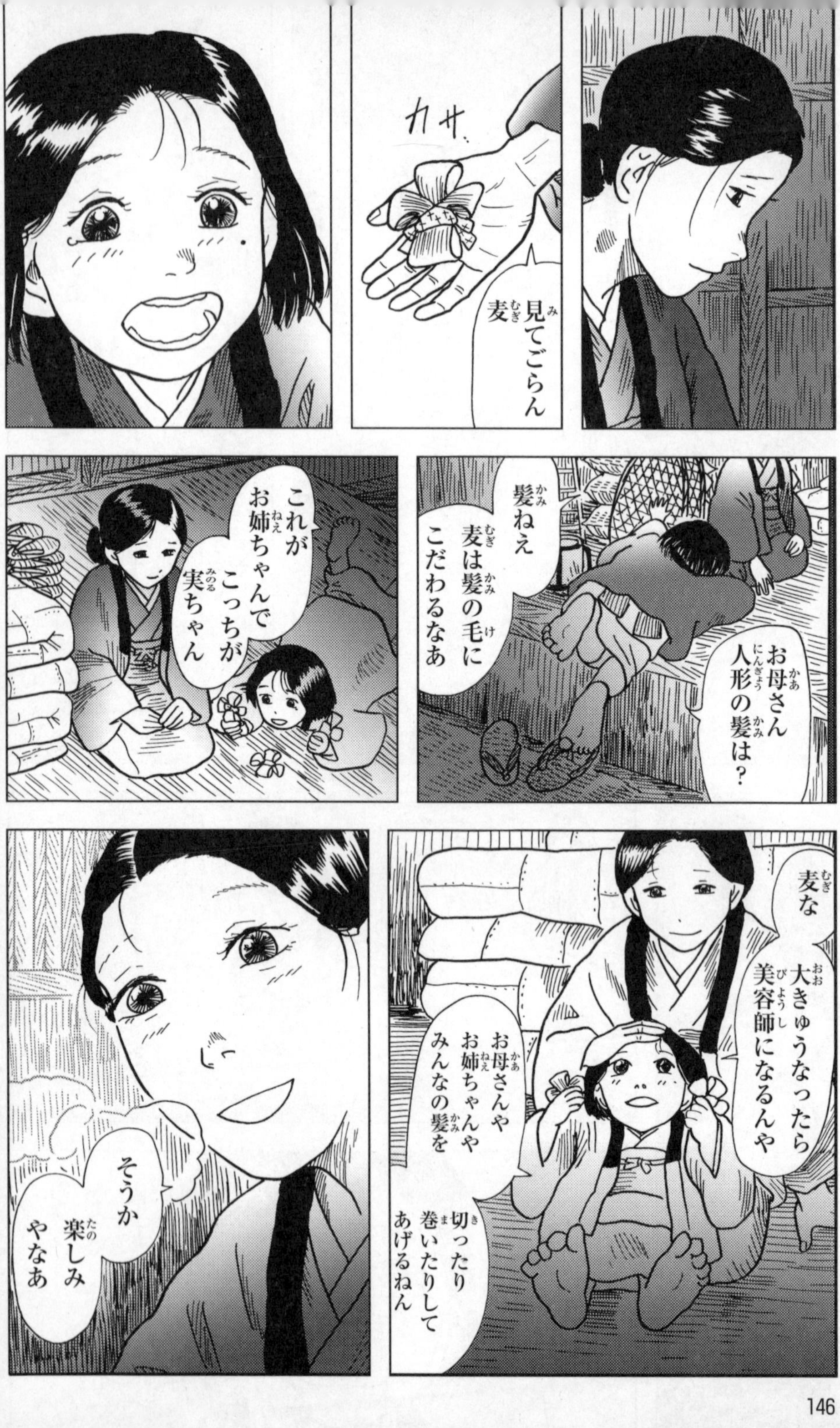

カサ
麦《むぎ》見《み》てごらん
お母《かあ》さん人形《にんぎょう》の髪《かみ》は？
髪《かみ》ねえ
麦《むぎ》は髪《かみ》の毛《け》にこだわるなあ
これがお姉《ねえ》ちゃんでこっちが実《みのる》ちゃん
麦《むぎ》な
大《おお》きゅうなったら美容師《びようし》になるんや
お母《かあ》さんやお姉《ねえ》ちゃんやみんなの髪《かみ》を切《き》ったり巻《ま》いたりしてあげるねん
そうか楽《たの》しみやなあ

＊正式《せいしき》なタイトルは「家路《いえじ》」。昭和《しょうわ》7年頃《ねんごろ》発表《はっぴょう》されたといわれる。

いざや たーのしー
まーどいー せーん――
ふぅ…
さ
お母《かあ》さん まどいって 何《なん》なん？
それは……
カッ
カッ
カッ

ほら
麦《むぎ》!
んー……
カタン
昭和《しょうわ》八年《はちねん》

はっ
はっ
リリン
リリン
カタ
カタタ
これ
麦《むぎ》！
タ
タ
タ
タ
ちょっと
だけ！
な!!
あー麦《むぎ》
ずるい！
私《わたし》も!!
カタン
二人《ふたり》ともよう
似合《にお》うとうで
だいぶ丈《たけ》が
短《みじ》こなったな

チリリン…
はいこれ お土産《みやげ》
お姉《ねえ》ちゃんと二人《ふたり》で選《えら》んだの
まあ
お母《かあ》さんの病気《びょうき》
早《はよ》う良《よ》うなりますようにって
ありがとな
チリリ…

ボーン
ボーン…
カタ…
カナエ
そろそろ汽車《きしゃ》の時間《じかん》やで
ぽんぽん

……はい
リリン…
おかぁ…さん
……ん

ちゅー
ちゅー
ちゅー
……歌《うた》
……歌《うと》うて
リリん

ぐす
駅《えき》までは見送《みおく》らんで人目《ひとめ》につくさかい
ええんです
ほな ここで
……カナエ
かんにん やで

お義母《かあ》さん　面倒《めんどう》をかけますが　よろしうお願《ねが》いします
ああ　気《き》いつけて
あとのことは
心配《しんぱい》いらん　さかいな
さ　もう寝《ね》んで
あの子《こ》らが起《お》きたら　ひと騒動《そうどう》や

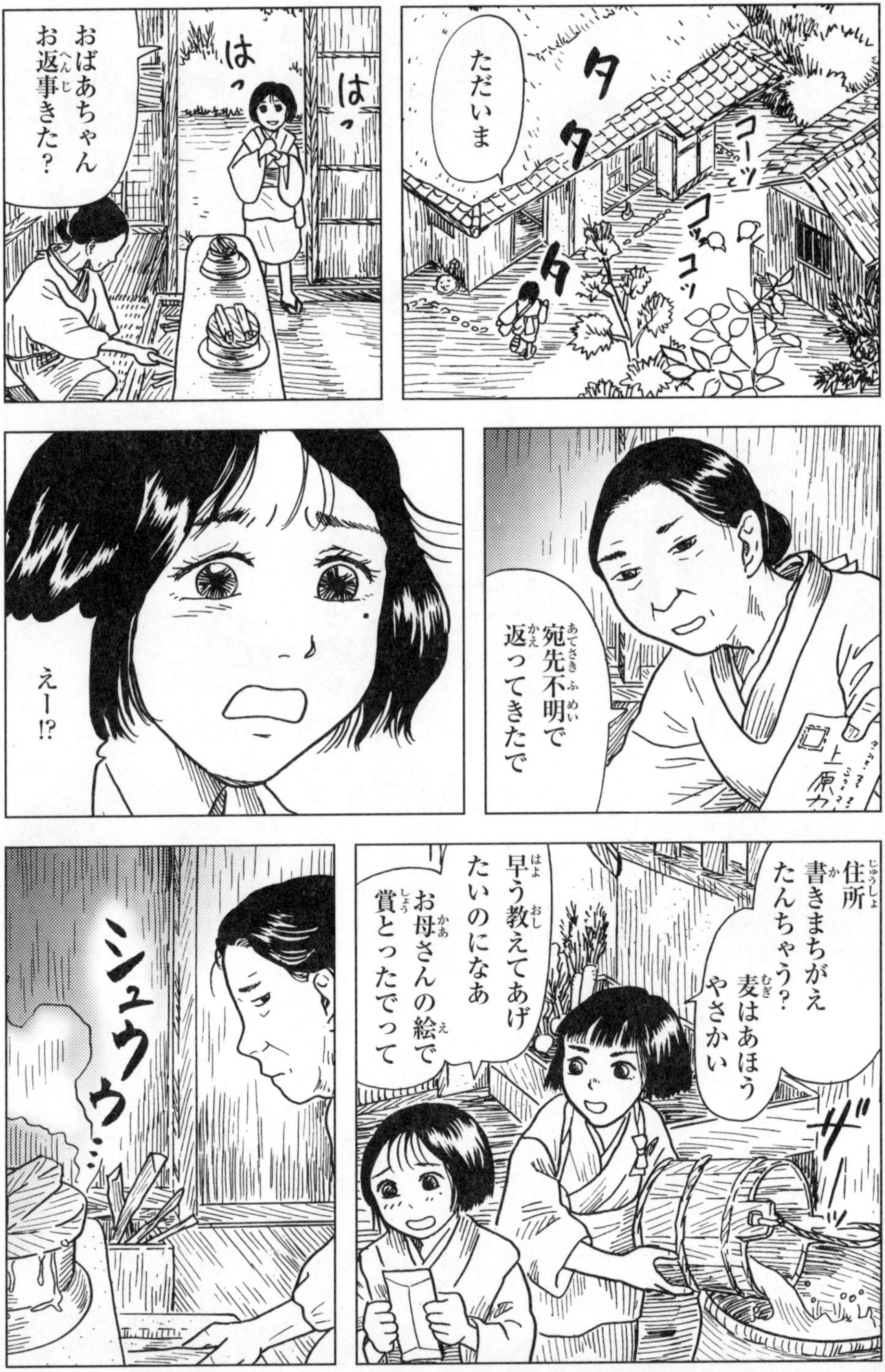
ただいま
タタタ
コーッ
コッコッ
はっ
はっ
おばあちゃん
お返事《へんじ》きた？
宛先《あてさき》不明《ふめい》で
返《かえ》ってきたで
えー!?
住所《じゅうしょ》
書《か》きまちがえ
たんちゃう？
麦《むぎ》はあほう
やさかい
ザー
早《はよ》う教《おし》えてあげ
たいのになあ
お母《かあ》さんの絵《え》で
賞《しょう》とったでって
シュウウ…

なあ お父《とう》さん 何《なん》で返《かえ》って きたんかな
ズ…!
聞《き》いとった 住所《じゅうしょ》が嘘《うそ》 やったんや
カナエさんは 自分《じぶん》から縁《えん》を 切《き》って出《で》て 行《い》かはってん
そうせな 一家全員《いっかぜんいん》 食《く》うていかれ へんように なるさかい
何言《なにい》うとん おばあちゃん
お母《かあ》さんが 嘘《うそ》つくわけ ないやんか

温泉《おんせん》で神経痛《しんけいつう》を治《なお》すって田植《たう》えまでに帰《かえ》るって言《い》うたんでしょ？
ズ…
ズズッ
カタ
……そやな？お姉《ねえ》ちゃん
麦《むぎ》のバカ！お母《かあ》さんはもう戻《もど》って来《こ》おへんのや!!

うわあああー!
あああぁー!
あんたはよう分《わ》かっとうななあ実《みのる》
おかわり
ようけおあがり
あんたは上原家《うえはらけ》の大事《だいじ》な跡取《あとと》り息子《むすこ》やさかいな

りりりん…
南無大師遍照金剛
南無大師遍照金剛
キャー
アハハ…
遍路《へんろ》のみちで
幼《おさ》な児《ご》を
見《み》かけるたび

置《お》き去《ざ》りにした
我《わ》が子《こ》に見《み》えて
身《み》を割《さ》かれる
思《おも》いでした
行《い》くで
りり…ん
りり…ん…

行《い》き倒《だお》れて療養所《りょうようじょ》に入《はい》ってからも
子供《こども》の患者《かんじゃ》がいればその姿《すがた》を
目《め》で耳《みみ》で追《お》ってしまうのでした
第《だい》20話《わ》　白杖《はくじょう》

昭和《しょうわ》二十年《にじゅうねん》九月《くがつ》
岡山県長島《おかやまけんながしま》
ザザー!!
早苗《さなえ》さーーん
恵子《けいこ》さーーん
だ…誰《だれ》かと人違《ひとちが》いしてはらへん？
私《わたし》は早苗《さなえ》といいます
……え？
麦《むぎ》やないの？

おい 見《み》つかったで
ほんまけ!
崖《がけ》から落《お》ちたんやて
かあ〜
目《め》の見《み》えん二人《ふたり》で道《みち》に迷《まよ》うて
よお死《し》なんかったなあ
…!
…!?
大丈夫《だいじょうぶ》か早苗《さなえ》!
こない泥《どろ》だらけになってまあ 心配《しんぱい》したでほんまに
…!
早苗《さなえ》 どないしたん?
い…いえ

待《ま》って　私《わたし》
海《うみ》に下駄《げた》
落《お》として裸足《はだし》
やねんけど
杖《つえ》もやろ
一歩《いっぽ》まちごうたら
自分《じぶん》も
落《お》ちとったんやで
落《お》ちたら
良《よ》かったと
思《おも》とんでしょ
あほう
落《お》ちた物《もの》は
また作《つく》れても
お前《まえ》の代《か》わりは
おれへんのやで
ポン
ポン
ポン
ポン
はぁ…

トメ
びくっ
もう来《こ》んよう言《い》うたわな?
すすいませんせん
いとはんにもしものことがあったらと……
ゴホン
わいが呼《よ》んだその…女同士《おんなどうし》なら悩《なや》み事《ごと》話《はな》せるやろ
は——…
全《まった》く
麦《むぎ》の旦那《だんな》といい男《おとこ》の人《ひと》というんは…
あの これお預《あず》かりしとったんです
ふ…
あんなあトメ

この手《て》はもう
感覚《かんかく》がないねん
三味《しゃみ》を弾《ひ》く
どころか
熱《あつ》い冷《つめ》たい
痛《いた》いんも
分《わ》かれへん
けど ここと ここは
まだ感覚《かんかく》が残《のこ》っとう
もし指《ゆび》が
あかんように
なっても
その時《とき》はその時《とき》
まだ
「おしまい」や
あれへん
いとはん
額《ひたい》
痛《いた》かった？
額《ひたい》…？
ああ…

伝染病患者《でんせんびょうかんじゃ》の手紙《てがみ》？
どうかこれを！
んな物《もの》息子《むすこ》に渡《わた》せるかいな
ほんまはねたましかったんやろ
伊勢田屋
私《わたし》が病気《びょうき》になって嬉《うれ》しいやろ
もうええ
出《で》て行《い》きよし

使用人《しようにん》のトメに頼《たの》まれたからと違《ちが》うで友達《ともだち》のトメちゃんの言《い》うことやさかいきくんやで
もう大丈夫《だいじょうぶ》ですよ
いとはん
ザザ
ザ…
コツ
コツ…
コツ…

よう　大石君《おおいしくん》
夜釣《よづ》りか？
職員《しょくいん》にみつからんようにな
仲《なか》ええな
この前《まえ》みたいにまた崖《がけ》から落《お》ちられたらたまらんさかいな
さよか
ザッ
ザザ…
大石《おおいし》さん
ちょっとよろしいか？

りん…
風鈴五《ふうりんいつ》つ目《め》で
外科治療室《げかちりょうしつ》
十時《じゅうじ》の方角《ほうがく》に分館《ぶんかん》や
コッ
コッ…
はい
早《はよ》う三井先生《みついせんせい》に肝臓《かんぞう》 診《み》てもらえるとええな
せっかく無理《むり》して*大島《おおしま》から移《うつ》ってきたんやさかい
コッ
コッ…
ほんまですねえ
あっ枝《えだ》が
カナエ!
その名前《なまえ》で呼《よ》ばんといてください
同《おな》じ村《むら》の人《ひと》やその知《し》り合《あ》いがいてるかも
私《わたし》がここにおるいうことは身内《みうち》も知《し》らへんのです
万一《まんいち》にも聞《き》かれたら——
リー…
リリーン
コロコロ
コロ…

*香川県《かがわけん》の大島青松園《おおしませいしょうえん》のこと。

夜分《やぶん》
すいません
収容所《しゅうようじょ》
付《つ》き添《そ》いの
大石《おおいし》です
ああ
ここに移《うつ》って
きた時《とき》の……
その折《おり》は
お世話《せわ》に
なりました
ほんまはこんな
こときいたら
あかんのですけど
お知《し》り合《あ》いに
姫路生《ひめじう》まれの
女《おんな》の人《ひと》　おって
ないですか
はたちすぎ
ぐらいの……
やっぱり
あの時《とき》
私《わたし》とまちが
われたんは
——

早苗《さなえ》さんが収容所《しゅうようじょ》に来《き》はった時《とき》は
顔《かお》に包帯巻《ほうたいま》いてふせってはったさかい気《き》づけへんかったけど
コッ
コッ
恵子《けいこ》さんがまちごうたんもムリないわ
声《こえ》も顔《かお》もそっくりや
わしが行《い》くと話《はなし》がややこしなるやろ
ここで待《ま》っとくで
私《わたし》……
会《お》うてもええんでしょうか
八百人以上《はっぴゃくにんいじょう》いるとはいえ　小《ちい》さい島《しま》ん中《なか》や
ずっと会《あ》わずにいるのはムリですわ
カタ…
麦《むぎ》

麦《むぎ》
麦《むぎ》なの？
あっ

ばしっ
ガッ
バサッ
やめ……
麦《むぎ》
ドッ
はあっ
はあっ

死《し》に別《わか》れなら
あきらめも
つくけど
生《い》きてて
捨《す》てられた
なんて
知《し》りとう
なかった
産《う》んどいて捨《す》て
られるぐらいなら
最初《はな》っから
生《う》まれん方《ほう》が
よかったわ

だから私《わたし》は
コウちゃんを——

早苗《さなえ》……
大丈夫《だいじょうぶ》か？
何《なに》を期待《きたい》しとったんやろ
私《わたし》があの子《こ》を捨《す》てたように
あの子《こ》も私《わたし》を――

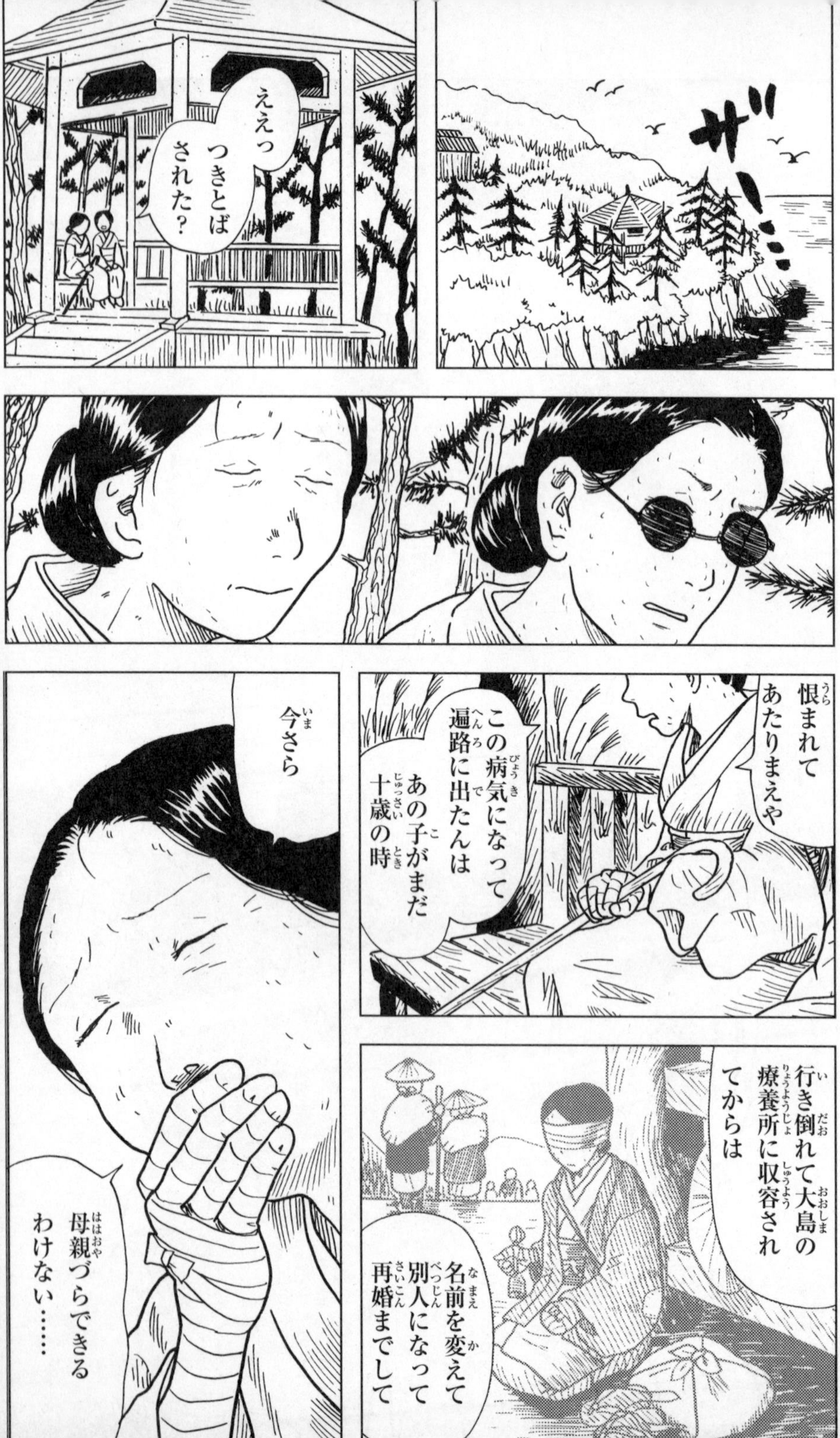

ザー……
ええっ
つきとばされた？
恨《うら》まれてあたりまえや
この病気《びょうき》になって遍路《へんろ》に出《で》たんはあの子《こ》がまだ十歳《じゅっさい》の時《とき》
今《いま》さら
行《い》き倒《だお》れて大島《おおしま》の療養所《りょうようじょ》に収容《しゅうよう》されてからは
名前《なまえ》を変《か》えて別人《べつじん》になって再婚《さいこん》までして
母親《ははおや》づらできるわけない……

生《う》まれん方《ほう》が良《よ》かった——なんて
おなかを痛《いた》めて産《う》んでくれた母親《ははおや》によう言《い》えたわ
子供《こども》がでけたの
了太《りょうた》さんと今夜《こんや》島《しま》を出《で》るんよ
皆《みんな》には内緒《ないしょ》やで
三井先生《みついせんせい》麦《むぎ》に子供《やや》がでけたんやて
今夜脱走《こんやだっそう》するて——
ころして
けどそれは私《わたし》が——

母《はは》の形見《かたみ》なんよ
子供《こども》を捨《す》てて蒸発《じょうはつ》するような母親《ははおや》
大事《だいじ》に思《おも》うなんておこがましいわ
親《おや》を大事《だいじ》に思《おも》ったらいけんの?
親子《おやこ》の縁《えん》っちそう簡単《かんたん》に断《た》ち切《き》れるもんなん?

ほしは
そらを
ちりばめぬ
ざやの
たのし
まどいせん
ちょっと
「散《ち》りばめぬ」の次《つぎ》は「きょうのわざを」やろ
まちがえたかてべっちょないやん
歌《うた》や
え？

いざやたのしまどいせん
麦《むぎ》は病気《びょうき》になってからも歌《うと》うとる　あなたと同《おな》じところをまちごうた歌《うた》を
あなたの形見《かたみ》の人形《にんぎょう》かて　肌身《はだみ》離《はな》さず持《も》っとう
親子《おやこ》の縁《えん》は　そう簡単《かんたん》には断《た》ち切《き》れませんよ

亡《な》くなった療友《りょうゆう》の受《う》け売《う》りですけど
そお
……こんなん何《なに》の慰《なぐさ》めにもならしまへん
私《わたし》は麦《むぎ》に取《と》り返《かえ》しのつかへんような非道《ひど》いことを
どうしても償《つぐな》えへんことってあるねえ
ふう…

昭和《しょうわ》二十二年《にじゅうにねん》
な
様子見《ようすみ》といて正解《せいかい》やろ新薬《しんやく》なんてな
ほんまやなモルモットにされるとこや
バシャ
いつくしみ深《ぶか》き友《とも》なるイエスは
かわらぬ愛《あい》もて導《みちび》きたもう

*賛美歌《さんびか》「いつくしみ深《ふか》き」。

世《よ》の友《とも》われらを棄《す》て去《さ》るときも
祈《いの》りにこたえて労《いたわ》りたまわん
そういえば旦那《だんな》以前《いぜん》はキリスト教《きょう》やったな
結婚《けっこん》する時《とき》私《わたし》に合《あ》わせて改宗《かいしゅう》しはってん
そういうことは気《き》ぃつかう人《ひと》やった
望《のぞ》んで一緒《いっしょ》になったわけやないけどもう少《すこ》し優《やさ》しくすればよかった

ザザザ…

麦《むぎ》
痛《いた》かったやろな
私《わたし》が親《おや》じゃなければコウちゃんは苦《くる》しまなくて済《す》んだ
どこか別《べつ》の親《おや》から生《う》まれて幸《しあわ》せに暮《く》らせた
私《わたし》さえ
生《う》まれてこなければ…
あの時《とき》
私《わたし》も一緒《いっしょ》に
死《し》ねばよかった

この人達《ひとたち》が
死《し》んでも私《わたし》
泣《な》けへんかも
しれへん
第《だい》21話《わ》
二度目《にどめ》の別《わか》れ

ミーーン
ミン
ミーー…
ミーーン
ミンミン
ミーー…
はあっ
はあっ
蒸《む》し風呂《ぶろ》みたい
こない暑《あつ》いのに何《なん》で汗《あせ》が出《で》えへんのやろ
あ
つゆ草《くさ》
お姉《ねえ》ちゃん——

一緒《いっしょ》に ゆかた祭《まつ》りに 行《い》くはずやった
あれから もう七年《しちねん》か
あ は は…
ほら 実《みのる》ちゃん しゃんとして

フン♫♪ フフン♪
なあ麦姉《むぎねえ》
なんぼ美容師《びようし》になりたい言《い》うたかて俺《おれ》の丸坊主《まるぼうず》刈《か》って楽《たの》しいか?
シャキ
シャキ
きれいにするんも好《す》きやけどね
刃物《はもの》持っとる者《もの》に背《せ》え向《む》けて髪《かみ》切《き》らせるって
私《わたし》のこと嫌《きら》いやないし信用《しんよう》してくれてるからやろ
髪《かみ》を任《まか》せてもらえるんがうれしいんや
俺《おれ》かて安心《あんしん》して任《まか》しとうわけやないで
あはは

とにかく早《は》よして宿題《しゅくだい》せなあかんねん
あんたが宿題《しゅくだい》!? 明日《あした》台風《たいふう》来《く》るんとちゃうか
ぶんっ
え ええやん 別《べつ》に
なあ実《みのる》ちゃん
こないだあんたが下痢《げり》で休《やす》んだ時《とき》宿題《しゅくだい》の画用紙《がようし》届《とど》けてくれたさっちゃんキレイなっとったなあ
シャキ シャキ シャキ
何《なん》の話《はなし》やねん
あんな妹《いもうと》が欲《ほ》しかってん
ゆかた祭《まつ》りに誘《さそ》ってみいひん?
ハア?
あそこん家《いえ》のおばさん うちを嫌《きら》って ばかにしとうで

べっちょない
シャキ
シャキ
実《みのる》ちゃんはええ子《こ》やもん
シャキ
シャキ
シャキ
ちいっとあほで頑固《がんこ》やけどな
麦姉《むぎねえ》は一言《ひとこと》多《おお》いわ！

あははは
ただいま
お姉《ねえ》ちゃん
出戻《でもど》り?
あほう!
田《た》んぼの草取《くさと》りの手伝《てつだ》いに来《き》たんや
ああ やっぱりあばら屋《や》でも
生《う》まれ育《そだ》った家《いえ》はええなあ
またお姑《しゅうと》さんと何《なに》かあったんかな

お帰《かえ》りなさい
お姉《ねえ》ちゃん
帰《かえ》ってきとうよ
何《なに》っ？
出戻《でもど》りか!?
ちゃうわ!
フフン
フン
麦姉《むぎねえ》もあれ
よう歌《うた》うよな
うん…
学校《がっこう》で習《なら》った
この歌《うた》を母《はは》に
教《おし》えたのは
お姉《ねえ》ちゃん
だった

ほら実《みのる》ちゃん お腹《なか》冷《ひ》えるで
んごーっ…
んごーっ…
ほっとき!
麦《むぎ》は実《みのる》を甘《あま》やかしすぎやわ
どや ええ柄《がら》やろ
私《わたし》のがつゆ草《くさ》 あんたが金魚《きんぎょ》
きれい! 祭《まつ》りが楽《たの》しみやなあ
二人《ふたり》でこれ着《き》て歩《ある》けば若《わか》い男《おとこ》がごっつう寄《よ》ってくるで
あはは
お姉《ねえ》ちゃん新妻《にいづま》やのに男《おとこ》の人《ひと》にもててどないすんの
祭《まつ》りまでに自分《じぶん》の浴衣《ゆかた》仕上《しあ》げときよ
ええー!?
今《いま》まで毎年《まいとし》縫《ぬ》うてくれよったやん
下手《へた》でも自分《じぶん》でせな上達《じょうたつ》せえへんで
祭《まつ》りいうたら麦《むぎ》は小《ちい》さい頃《ころ》 迷子《まいご》になったなあ
覚《おぼ》えとう?

……うん
ゲコゲコ
ゲコ
ゲコ
ゲコ
三人並《さんにんなら》んで寝《ね》るん久《ひさ》しぶりやね
……なあ麦《むぎ》
あんた美容師《びようし》になりたいんやて?
応援《おうえん》するで
私《わたし》はあんた達《たち》の母親《ははおや》がわりやさかいな
お姉《ねえ》ちゃん…お母《かあ》さんがおらんようになって六年《ろくねん》たつんやね
今頃《いまごろ》どないしとんかな

知《し》らへん
死《し》んどんちゃう!?
……
ミーンミンミー…
お姉《ねえ》ちゃんも死《し》ぬ前《まえ》に一目《ひとめ》会《あ》いたかったやろか
お母《かあ》さんに

うーん
……6三金《さんきん》
6五馬《ごうま》
………
ふふ
参《まい》った 将棋強《しょうぎつよ》いなあ 恵子《けいこ》さん
ガララッ
コトン
ああ 麦《むぎ》さん
昨日《きのう》から 一人《ひとり》増《ふ》えた さかい
たくあんも ――
わかりました

カタ
カタタ
この頃《ごろ》　愛想《あいそ》
ないなあ
はっ
はっ
はっ
ふう…
この狭《せま》い島《しま》で
一生《いっしょう》さけて
暮《く》らす気《き》やろか
不思議《ふしぎ》やなあ
甘《あま》えたい盛《さか》りに捨《す》て
られて
恨《うら》んどったのに
他人《たにん》にどうこう
言《い》われると
業《ごう》わくもんやな
あれはきれい事《ごと》
やったんやな

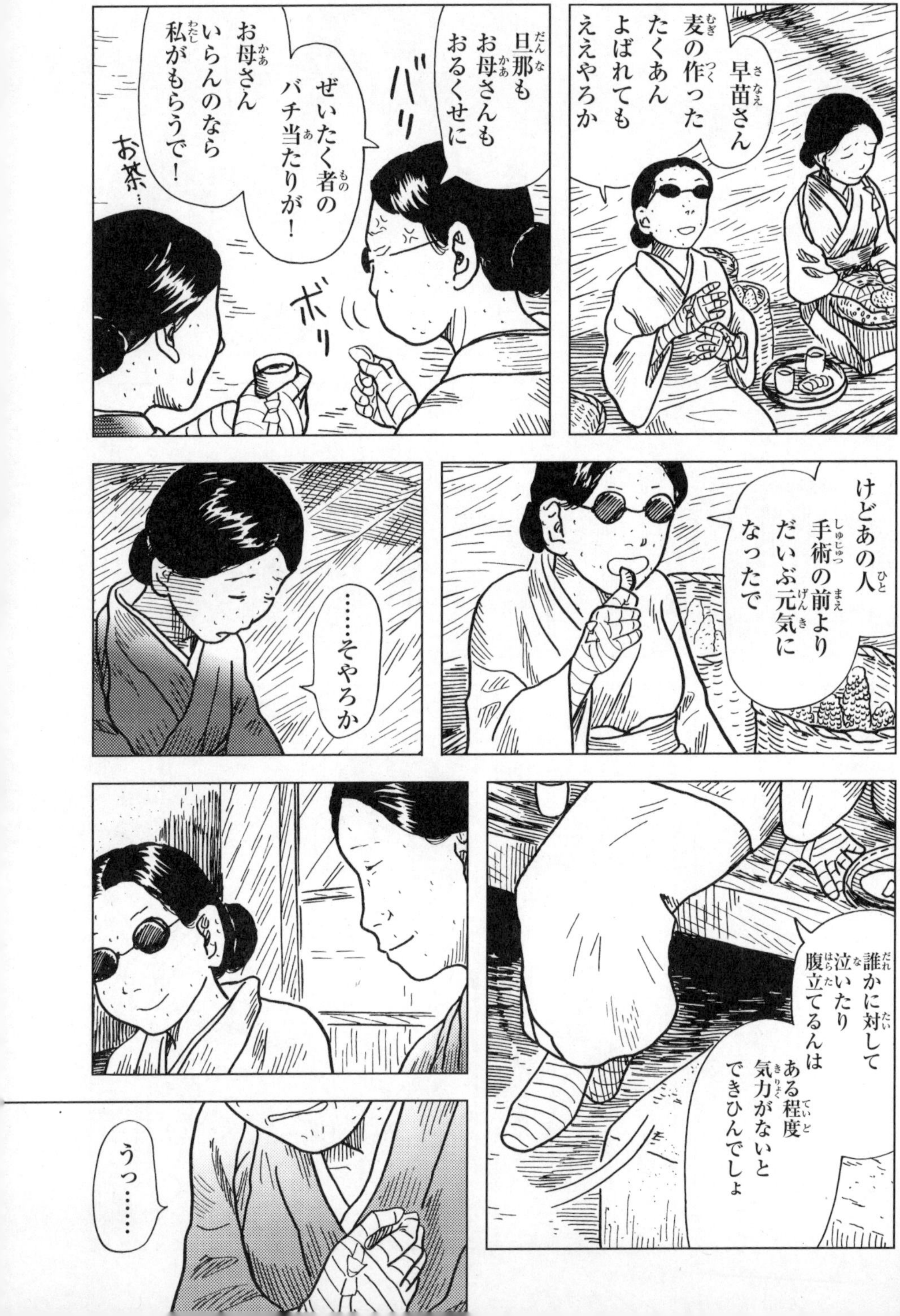
早苗《さなえ》さん 麦《むぎ》の作《つく》った たくあん よばれても ええやろか
旦那《だんな》も お母《かあ》さんも おるくせに
バリ
ぜいたく者《もの》の バチ当《あ》たりが！
ボリ
お母《かあ》さん いらんのなら 私《わたし》がもらうで！
お茶…
けどあの人《ひと》 手術《しゅじゅつ》の前《まえ》より だいぶ元気《げんき》に なったで
……そやろか
誰《だれ》かに対《たい》して 泣《な》いたり 腹立《はらた》てるんは
ある程度《ていど》 気力《きりょく》がないと できひんでしょ
うっ……

うぐ……
早苗《さなえ》さん
どないしたん!?
べっ…べっちょない　ちいっとむせただけや
ほんまに?
昭和四十年《しょうわよんじゅうねん》
麦《むぎ》さんこれも干《ほ》してきて
ハイ!
理容スズキ
ザッ
ザ
*ほうけとらんと早《はよ》う!
ハイ!すみません
ふぅ…
勉強熱心《べんきょうねっしん》やし根性《こんじょう》もあるけど
あの手《て》じゃ人前《ひとまえ》にはなぁ…

*ぼけっとしてないでの意《い》。

ガチャ…
ビュウウゥ…
あ
はは…
しょうもない この右手《みぎて》のせいで また洗《あら》い直《なお》しや
美容師見習《びようしみなら》い やのに髪《かみ》も メチャクチャ
私《わたし》 ここで 何《なに》しよんやろ
ガチャッ
麦《むぎ》さん 電話《でんわ》
大石《おおいし》さんいう 男《おとこ》の人《ひと》から

ドッ ドッ ドッ
ザザザー
麦《むぎ》!
急《いそ》げ!!
母《はは》が亡《な》くなった

恵子《けいこ》さん
麦《むぎ》が戻《もど》ったで
えらい時間《じかん》かかったなあ
＊労務外出《ろうむがいしゅつ》とかいうのんは地球《ちきゅう》の裏側《うらがわ》まで行《い》くもんなん？
仕事《しごと》が休《やす》めんかったの
ムリ言《い》うて雇《やと》うてもろた店《みせ》やから
母親《ははおや》の最期《さいご》を看取《みと》るより大事《だいじ》な仕事《しごと》があるの？
美容師《びようし》のあんたの代《か》わりはおっても
早苗《さなえ》さんの身内《みうち》はあんたしかおれへんのやで

＊療養所《りょうようじょ》に在所《ざいしょ》したまま、外《そと》で働《はたら》くこと。一九六〇年代《ねんだい》に化学療法《かがくりょうほう》が進展《しんてん》し、労務外出者《ろうむがいしゅつしゃ》や社会復帰者《しゃかいふっきしゃ》が増加《ぞうか》した。

何《なん》で
早苗《さなえ》さんが生《い》きとううちに仲直《なかなお》りせんかった
他人《たにん》には分《わ》かれへん
ああ分《わ》かれへん
他人《たにん》やもん
あんたとちごうて！
身内《みうち》じゃなかったら
とうに許《ゆる》してる
麦《むぎ》
そろそろお別《わか》れやで
カタ…

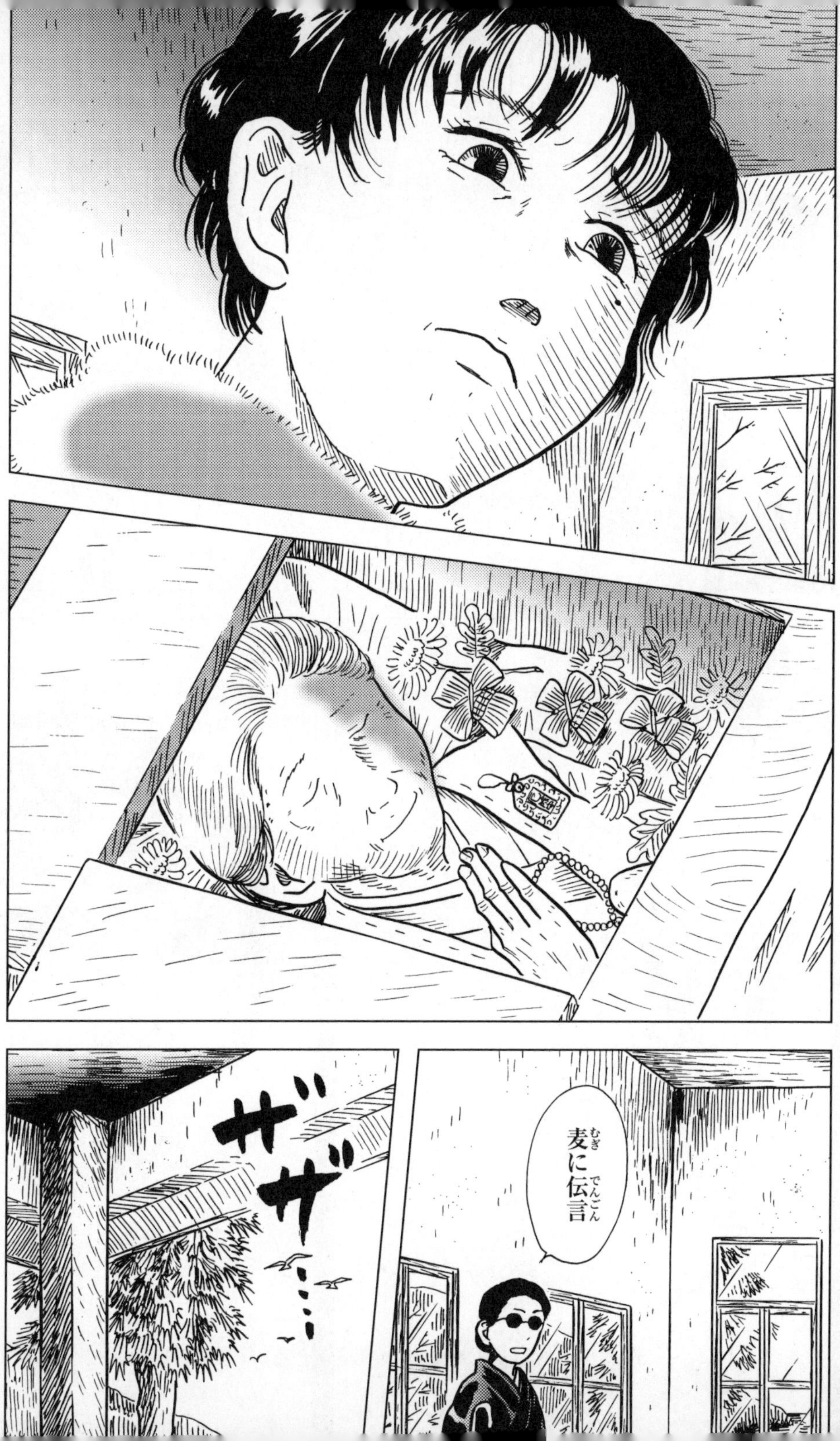
麦《むぎ》に伝言《でんごん》
ザザ…

〝今日《きょう》の業《わざ》を為《な》し終《お》えて心《こころ》かろくやすらえば〟
〝風《かぜ》は涼《すず》しこの夕《ゆう》べ〟
いざや楽《たの》し
まどいせん

麦《むぎ》な 大《おお》きゅうなったら美容師《びようし》になるの
お母《かあ》さんやお姉《ねえ》ちゃんやみんなの髪《かみ》を切《き》ったり巻《ま》いたりしてあげるねん
そうか 楽《たの》しみやなあ
お母《かあ》さん まどいって何《なん》なん？
それは……

〝村人《むらびと》から隠《かく》れて
馬屋《うまや》にいる間《あいだ》〟
〝あなたが会《あ》いに来《き》て
くれるのが何《なに》よりの
喜《よろこ》びでした〟
ザ……
〝あまり
入《い》り浸《びた》ると
叱《しか》られるから
歌《うた》をせがまれる
と途中《とちゅう》を
はしょりました〟
〝まちがいを
教《おし》えて
ごめんなさい〟
まどいは……
〝まどいは
家族《かぞく》の
団《だん》らんです〟

お母《かあ》さん
ひとりでさみしない？
さみしかったのは
わたし
〝家族《かぞく》をバラバラにしてごめんなさい
——カナエ〞
…カナエ？
早苗《さなえ》さんの——

ドサ
母《はは》の ほんとうの 名前《なまえ》

産《う》んどいて捨《す》てられるぐらいなら
最初《はな》っから生《う》まれん方《ほう》がよかったわ
だから私《わたし》は
「母《はは》」になるのを拒《こば》んだのだと
そんなことを言《い》いたかったわけじゃないのに

ガタン!!
あ…
お…
お母《かあ》さん

行《い》かんといて
お母《かあ》さん
ザザ…
ザザ…
ス…
コツ
コツ
親《おや》の死《し》に目《め》に会《あ》えへんなんて
いつも恵子《けいこ》さんが言《い》うてた通《とお》り バチが当《あ》たったんやな

わかったんなら
ザクッ
もうええやん
毎日《まいにち》毎日《まいにち》謝《あやま》られて嬉《うれ》しいか？
みじめでうっとおしいだけやろ
ザザ…
そやさかい私《わたし》は謝《あやま》らん
あんたにも
今《いま》さら謝《あやま》られても……
ほやろ？
シュボ
今《いま》さらやんな

三井先生《みついせんせい》
麦《むぎ》に子供《やや》が
でけたんやて
今夜《こんや》 脱走《だっそう》
するって――
ころして

けどな
私《わたし》が
あんたに
したこと
忘《わす》れたことは
一日《いちにち》も
ないねんで
コツ
コツ

第4巻 目次

麦《むぎ》ばあの島《しま》 第3巻

MUGIBAA no SHIMA

2017年11月15日 第1刷発行

作・画 古林海月
監修 蘭由岐子

発行者 高橋雅人
発行所 株式会社すいれん舎
〒101-0052 東京都千代田区神田小川町3-14-3-601
電話 03-5259-6060
FAX 03-5259-6070
印刷・製本 亜細亜印刷株式会社
装丁 小玉文
企画・編集協力 佐藤健太
編集協力 青木悦郎

 日本音楽著作権協会(出) 許諾第1710913-701号
ISBN 978-4-86369-511-5 / 全4巻セット ISBN 978-4-86369-513-9 / Printed in Japan